D0608991

MANIFESTE DES INTELLECTUELS POUR LA SOUVERAINETÉ

suivi de

DOUZE ESSAIS SUR L'AVENIR DU QUÉBEC

Sous la direction
de Michel Sarra-Bournet

MANIFESTE
DES INTELLECTUELS
POUR LA SOUVERAINETÉ

suivi de

DOUZE ESSAIS
SUR L'AVENIR DU QUÉBEC

Préface de Guy Rocher

FIDES

Les Éditions Fides bénéficent de l'appui du Conseil des arts du Canada et du ministère de la Culture du Québec.

Mise en pages : Folio infographie

© Éditions Fides 1995
ISBN 2-7621-1856-5

Dépôt légal : 4ᵉ trimestre 1995
Bibliothèque national du Québec

PRÉFACE

La philosophe française Blandine Barret-Kriegel publiait il y a quelques années une savante étude historique intitulée *La République incertaine*. Un titre analogue pourrait coiffer cet ouvrage-ci. L'avenir de la société québécoise — république ou non — est plus que jamais enveloppé d'un nuage d'incertitude. Incertitude sur la décision collective qui sera prise à l'occasion du référendum où nous serons appelés à dire ce que nous voulons être. Incertitude également sur le type de société que nous voudrons dessiner pour l'avenir. On entend en effet bien des voix inquiètes affirmer, plus à tort qu'à raison à mon avis, que le concept d'un Québec souverain manque de contenu, qu'il nous jette dans l'abîme d'un inconnu noir de menaces, tant et si bien qu'un tel climat est favorable aux pires prophéties et aux conjectures et prévisions les plus pessimistes.

Cette obsession de l'inconnu interpelle des intellectuels. Il relève en effet de leur métier, sous ses différentes formes, de s'attaquer à des incertitudes, qu'elles soient de nature scientifique, métaphysique, épistémologique, esthétique ou éthique. Un intellectuel lutte presque quotidiennement avec l'ombre de l'inconnu, pour la faire reculer ou du moins en réduire la densité. Qu'il ait à résoudre des problèmes, créer des concepts ou des formes, élaborer des hypothèses ou des théories, vulgariser sa pensée, l'intellectuel chemine sans cesse du moins connu au plus connu, de moins de vérité à un peu plus de vérité.

Voilà qui explique et même justifie que des intellectuels aient senti le besoin, voire l'obligation, d'intervenir dans le débat référendaire. Puisque celui-ci présente l'aspect d'une série d'équations à plusieurs inconnues, il est normal que des intellectuels se soient mis à la tâche d'en réduire quelques-unes. Ils le font évidemment d'une manière militante, puisqu'il s'agit d'un débat politique où s'opposent deux options. C'est pourquoi leurs interventions prendront la forme d'arguments. Mais chacun l'a fait en intellectuel, c'est-à-dire en prenant appui dans son champ de compétence et, à l'occasion, suivant les canons de sa discipline.

Au cours des dernières années, on a souvent fait aux intellectuels le reproche de garder le silence, d'être à l'écart des débats publics. Je ne suis pas du tout certain que cette observation était fondée : j'ai plutôt cru qu'elle venait du fait qu'on ne voyait pas les signatures auxquelles on avait été habitué pendant quelque temps, relayées qu'elles étaient par celles de plus jeunes. Peu importe : c'est l'impression qu'on avait, prenons-la comme telle. Voici que des intellectuels prennent la parole, dans un manifeste qu'ils ont été plus de trois cents à signer et dans ce livre qui vient expliciter dans des textes davantage détaillés la rédaction forcément elliptique d'un manifeste.

Il faut cependant ajouter que les dix-huit rédacteurs des chapitres de ce livre ne sont pas un échantillon parfaitement représentatif de tous les signataires du manifeste : ces derniers se sont recrutés chez des étudiants et chez des professeurs, et l'enseignement universitaire est loin d'avoir

8

PRÉFACE

été le seul lieu des adhésions, contrairement sans doute à l'impression que peut donner la table des matières de ce livre.

Quand nous nous interrogeons entre nous sur les raisons qui nous ont fait adhérer au projet d'indépendance ou de souveraineté du Québec, on constate combien les démarches ont pu varier de l'un à l'autre. Il y a donc une pluralité des voies pour arriver à cette conviction, et chacune a sa vérité. Pour ma part, quand je dois expliquer à un visiteur étranger, ou à un ami fédéraliste, ou à quelqu'un qui n'a pas encore fait son choix entre le Oui et le Non, pourquoi j'ai opté, il y a plusieurs années déjà, pour l'indépendance du Québec, je réponds que la principale raison en est l'intégration des immigrants et réfugiés que reçoit et recevra le Québec. L'immigration a été un facteur de grande importance dans l'évolution du Québec depuis trois ou quatre décennies et elle le sera au moins autant sinon davantage dans l'avenir : le Québec a été et sera un pays d'immigration, surtout si l'on songe à la pression croissante qu'exerceront des populations déplacées, qui sont aujourd'hui plus nombreuses que jamais. On comptait un million et demi de réfugiés dans le monde en 1960 ; ils étaient 11 millions en 1985 ; ils sont 21 millions en 1995.

Or il est évident, sans qu'il soit nécessaire de faire de nombreuses observations, que si le Québec demeure dans la Confédération canadienne avec le statut de « province », les immigrants y viendront toujours pour habiter le Canada. C'est au Canada qu'ils demandent la citoyenneté, c'est à la reine du Canada qu'ils prêtent serment en devenant citoyens de ce pays. L'image qu'ils ont du Québec est celle-là même qu'entretient le reste du Canada, surtout depuis 1982 : une des provinces du Canada, une province comme les autres.

9

Sans doute, les enfants des immigrants apprennent-ils maintenant le français à l'école. Il s'agit d'un changement indéniable, mais qui demeure fragile et incomplet. On sait — les observations faites dans les écoles secondaires le confirment — que les élèves allophones, ceux dont la langue maternelle n'est ni le français ni l'anglais, même s'ils étudient en français, utilisent l'anglais dans la vie courante. La question difficile s'impose : dans quelle mesure assimilent-ils la culture d'un Québec francophone et s'intègrent-ils à une société à majorité de langue française ? Aux yeux de l'immigrant, si les francophones du Québec forment la majorité d'une des dix provinces, c'est dans un Canada majoritairement anglophone qu'ils sont venus, où les francophones sont minoritaires. Il est donc normal qu'ils voient les choses ainsi : leur vision correspond à la réalité.

Bien sûr, la politique officielle de l'immigration du gouvernement du Québec présente la société québécoise comme étant « francophone, démocratique et pluraliste ». Mais le caractère « francophone » du Québec paraît à bien des immigrants forcé et artificiel, dans un Canada qu'on leur a présenté comme étant « bilingue et multiculturel ». La notion déjà ancienne des deux peuples fondateurs est presque oubliée et même reniée par le gouvernement canadien : elle n'a plus cours ni dans les documents officiels ni dans le discours, même au Québec. La *Charte de la langue française* a marqué un cran d'arrêt dans l'anglicisation des immigrants du Québec. Mais on sait comment cette loi a été érodée par les parlements et les tribunaux et combien elle demeure une législation honnie dans le reste du Canada. On voudrait que le Québec revienne au libre choix entre l'anglicisation et la francisation, choix qui n'existe nulle part ailleurs au Canada, où l'on trouve rien que de plus naturel d'angliciser les immigrants tout simplement par la force de l'environnement culturel, social et économique.

La politique québécoise de l'immigration est donc une contradiction patente : elle présente le Québec comme un État de langue française, dans un Canada dont le gouvernement central dit valoriser le bilinguisme ; elle suppose l'intégration à la communauté francophone, dans un pays qui affiche son multiculturalisme. Si le Québec demeure dans la Confédération canadienne, l'intégration des immigrants et réfugiés à la culture et aux institutions francophones, déjà aujourd'hui très problématique, risque d'être demain purement illusoire.

On invoque souvent l'apport culturel de l'immigration pour justifier celle-ci, et à bon droit. Encore faut-il se demander à qui profite cet apport ? Que penser d'un apport qui affaiblit la majorité au lieu de la nourrir ?

La seule solution susceptible de changer ces perspectives d'avenir est que le Québec devienne un État souverain, qu'il acquière la personnalité d'un pays. On sait que l'image que projette un pays fait partie du processus de la décision d'immigrer et du choix du lieu où émigrer. La souveraineté du Québec permettra seule de sortir de l'équivoque, de la fragilité et de la marginalité qui entache et entachera toujours davantage la politique québécoise de l'immigration.

Il n'y a dans cet objectif rien de raciste, ni de fasciste, ni de xénophobe ; rien non plus d'une vision fixiste de l'histoire, comme si nous ne croyions pas que le Québec changera comme il a déjà changé. Il ne faut y voir non plus aucune motivation de « purification ethnique ». Il s'agit bien plutôt de l'attente la plus normale qui soit à l'endroit de l'immigration, dans l'optique pluraliste qui est et sera celle du Québec.

Bien sûr — faut-il le dire ? — la souveraineté du Québec ne réglera pas miraculeusement toute cette question. L'intégration des immigrants à la culture francophone commune d'un Québec indépendant exigera encore et pour longtemps des politiques appropriées, des changements d'attitudes et de comportements de la part de la population, des réformes d'institutions. Un Québec souverain sera toujours une enclave à majorité française dans une Amérique du Nord anglophone. Mais la souveraineté m'apparaît comme une condition essentielle au départ d'une longue démarche qui exigera à la fois une solide motivation, de la délicatesse et de l'ouverture.

D'autres arguments appuient le projet de souveraineté du Québec. Le lecteur en trouvera plusieurs autres, et de poids, dans les chapitres de cet ouvrage. J'ai exposé le mien dans cette Préface, dans l'espoir d'aiguiser la curiosité du lecteur, souhaitant qu'il trouve dans ce livre les réponses à ses propres incertitudes.

GUY ROCHER

I

MANIFESTE
DES INTELLECTUELS
POUR LA SOUVERAINETÉ

OUI AU CHANGEMENT

Les intellectuels pour la souveraineté (IPSO)

Les « affaires de la cité » doivent susciter l'intérêt de tous les citoyens et de toutes les citoyennes, mais elles sollicitent en particulier les intellectuels. Cela est d'autant plus vrai que ceux-ci ont joué un rôle déterminant dans le développement du Québec contemporain, rôle auquel ils ne doivent pas renoncer au moment où le peuple est invité à prendre des décisions majeures sur son avenir collectif. Les intellectuels ne doivent pas démissionner de l'esprit de liberté qui est leur bien le plus précieux. Ils négligeraient leurs responsabilités s'ils prétendaient que leur désengagement équivaut à une garantie de sérieux et d'objectivité, et s'ils s'abstenaient d'intervenir sur la place publique. Il arrive un temps où ne rien faire et ne rien dire, c'est en fait entériner le *statu quo*.

Il faut, comme le suggérait naguère un intellectuel québécois, prendre la « ligne du risque ». Le conformisme, la torpeur et l'inertie qui règnent doivent être surmontés. Les intellectuels ont la responsabilité de prendre la parole dans les moments cruciaux de l'histoire. Ils peuvent articuler, préciser et clarifier les idées que leurs concitoyens sentent intuitivement. Dans le cas présent, ils peuvent offrir des arguments nouveaux pour faire la souveraineté. Voilà pourquoi il nous semble nécessaire d'intervenir dans le débat référendaire, et de manifester notre appui à la souveraineté du Québec.

Plusieurs considèrent que tout a été dit sur le sujet, et que les citoyens du Québec n'ont plus qu'à attendre l'automne pour cocher OUI ou NON. Mais la réalité est plus complexe. La question des nations est en ce moment au cœur de tous les débats partout à travers le monde. Les solutions concrètes que divers pays apportent à leurs problèmes, tout comme les recherches théoriques qui foisonnent à ce sujet en droit, en philosophie, en histoire, en science politique et en études culturelles, peuvent et doivent alimenter notre réflexion. C'est dans cette optique que notre groupe comprend des gens des milieux de la recherche, de l'enseignement et de la culture. Notre groupe est structuré comme un réseau de réseaux, où chacun agit selon sa spécialité et en son nom propre, tout en reconnaissant la nécessité de l'engagement commun et de l'action concertée. Au cours de la campagne référendaire qui s'amorce, nous ferons valoir en détail plusieurs arguments en faveur de la souveraineté. Voici un bref aperçu des questions que nous aborderons.

Huit arguments pour la souveraineté

1) L'argument identitaire. Les Québécois et les Québécoises forment un peuple. Il n'est pas dit que tout peuple doive se doter d'un État souverain, et les Québécois ont d'ailleurs tenté pendant longtemps de fonctionner dans le cadre fédératif canadien. Mais le Canada refuse de reconnaître au Québec le statut de peuple fondateur et de lui donner les outils devant lui permettre de se développer pleinement. Il faut prendre acte de cette incapacité du Canada à se penser comme un État multinational. Il faut cesser de rêver en croyant qu'une négociation constitutionnelle demeure possible. Il est temps pour les citoyens du Québec de se doter d'un État à leur image. Cet État, qui se voudra inclusif de tous les citoyens qui le désireront, sera fondé sur la territorialité et sur la langue commune, reconnaîtra ses nations autochtones et sa minorité nationale anglophone, et continuera à offrir aux immigrants un projet intégrateur qui les respecte en en faisant des citoyens à part entière.

2) *L'argument linguistique.* Parce qu'une charte des droits d'inspiration individualiste s'y trouve enchâssée, la constitution canadienne permet que soient contestées devant les tribunaux les lois du gouvernement du Québec. Les lois linguistiques québécoises ont été contraintes par cette situation. La souveraineté permettra de confier à un gouvernement représentatif la responsabilité de la promotion et de la protection du français. Nous pourrons ainsi nous doter des lois que nous jugeons nécessaires, et cela en tout respect des droits des individus et des communautés francophones et anglophones. La survie du fait français est aujourd'hui acquise au Québec. En nous donnant les outils pour maîtriser tous les aspects du dossier linguistique, nous pourrons améliorer encore la capacité de vivre ensemble de tous les citoyens du Québec.

3) *L'argument culturel.* Malgré qu'il soit un petit peuple, le Québec compte des créateurs qui ont fait leur marque dans le monde entier. Or pour que des gens continuent à vouloir consacrer leur vie à la culture, le climat doit être propice. Il faut d'abord que les gouvernements tout autant que les

entreprises cessent de considérer le financement de la culture comme un geste de charité. Mais il faut aussi ne jamais oublier que la culture va au-delà de l'économique. La culture fournit des ancrages symboliques vitaux, elle contribue à développer et à nourrir l'imaginaire d'une communauté. Pour qu'elle puisse faire tout cela, il lui faut cependant pouvoir se déployer dans un espace de liberté. Cet espace, il peut être offert entre autres par une communauté qui se sent assez sûre d'elle-même pour aimer les créateurs qui la dérangent.

4) L'argument de la solidarité. En se donnant un pays, les Québécois et les Québécoises poseront les bases d'une solidarité réelle qui favorisera la compréhension entre les citoyens malgré leurs intérêts parfois divergents. La solidarité fait en sorte que les individus aperçoivent autre chose que leur intérêt individuel, et les amène à accepter de faire leur part. Cette solidarité nationale n'est pas qu'un mot d'ordre idéaliste : elle entraîne des répercussions économiques et sociales déterminantes. De l'avis de tous, les problèmes économiques et sociaux les plus graves au Québec sont le chômage, la pauvreté des femmes, le décrochage scolaire, l'insertion des jeunes sur le marché du travail, le maintien des programmes sociaux, le déficit et la dette. Les solutions à ces problèmes demandent que les différents acteurs sociaux se concertent, mais aussi que chacun, individu ou entreprise, accepte d'y mettre du sien. En ce sens, la décision de se doter d'un État souverain constitue en soi un projet de société, puisqu'elle manifeste concrètement la solidarité des citoyens et leur désir de travailler à l'établissement d'une société plus juste.

18

5) L'argument de la légitimité politique. Ce n'est que s'il est pleinement légitime qu'un gouvernement possède la marge de manœuvre nécessaire pour gérer les questions sociales difficiles et les problèmes économiques comme les déficits, les dettes et les récessions. Si le gouvernement fédéral avait été fondé sur des solidarités réelles plutôt que sur un concept abstrait de la nation canadienne, il aurait eu suffisamment de légitimité pour amorcer dès les années 1970 les restrictions budgétaires minimales qui s'imposaient dans les programmes sociaux. Au lieu de cela, et parce qu'il ne possédait pas dans les faits la légitimité requise, il a sombré dans l'électoralisme, cédant aux exigences parfois indues des électeurs, aux groupes de pression divers, aux lobbys des entreprises et aux investisseurs étrangers. La souveraineté du Québec conférera une plus grande légitimité au pouvoir politique québécois, puisque celui-ci sera l'expression d'une communauté qui se sera dotée d'un projet commun.

6) L'argument de la décentralisation. Dans les dernières années, la décentralisation est devenue le mot d'ordre de l'efficacité organisationnelle. Dans la perspective de la souveraineté du Québec, la décentralisation s'effectuera au profit des pouvoirs régionaux qui sont placés à proximité de l'activité économique. À court terme, la décentralisation des appareils gouvernementaux entraînera des épargnes à cause de l'élimination des dédoublements. À plus long terme, elle permettra une plus grande efficacité puisqu'elle rapprochera les centres de décision de leurs marchés. Cette décentralisation devra cependant être menée avec prudence et équité : elle ne doit pas déresponsabiliser les gouvernements ou favoriser l'application d'un pouvoir arbitraire, mais plutôt viser à remettre entre les mains des citoyens les leviers décisionnels.

7) L'argument de l'égalité entre les communautés nationales. Le gouvernement canadien n'a pas tout mis en œuvre pour assurer un développement économique équitable entre les principales communautés nationales. À la suite d'une série de politiques mises en œuvre depuis plus de trente ans par le gouvernement fédéral (politique nationale de l'énergie, Pacte de l'automobile, centralisation des contrats de recherche et développement, absence de protection des brevets pharmaceutiques et, évidemment, taux d'intérêt élevés), la région de Toronto est devenue le centre nerveux de l'économie canadienne. Un État central multinational doit pourtant tenir compte du principe de l'égalité entre les peuples qui le constituent. Il est temps de prendre le contrôle des leviers politiques et économiques que le gouvernement fédéral détient et qu'il n'a pas utilisés à bon escient.

8) L'argument constitutionnel. À la suite du rapatriement illégitime de la constitution en 1982, le Québec s'est trouvé exclu de la famille canadienne. Par ce coup de force constitutionnel, le Canada a limité les pouvoirs du Québec en matière de législation linguistique (la clause Canada) et imposé une charte des droits essentiellement individualiste qui confie à des juges nommés par l'État fédéral des pouvoirs considérables. Il a posé ce geste sans référendum, et en allant à l'encontre de la volonté explicite du Québec et de son Assemblée nationale. Le Canada a ainsi violé le pacte sur lequel la fédération était fondée. Depuis ce temps, toutes les négociations destinées à réintégrer le Québec dans le giron constitutionnel ont échoué, démontrant le caractère irréconciliable des aspirations québécoises et canadiennes. Le Canada voit maintenant le Québec comme une minorité culturelle parmi d'autres, alors que le Québec est et se considère comme un des peuples fondateurs du pays. Face à ce désaccord fondamental, le Québec n'a qu'une solution : il doit devenir souverain pour se doter d'une constitution à son image.

Appel à l'engagement

Les considérations qui précèdent amènent inexorablement à une conclusion : l'avenir du Québec passe par la souveraineté. Nous comptons que l'exposition détaillée de ces arguments suscitera des débats et des prises de conscience dans les milieux intellectuels et ailleurs. Au cours des semaines qui viennent, nous allons passer à l'offensive et répliquer de façon systématique à tous les détracteurs de la souveraineté. De plus, notre action ne sera pas seulement ponctuelle, puisque nous entendons nous impliquer après le référendum, notamment pour donner notre avis sur la future constitution du Québec. La liberté d'opinion et la liberté d'expression ne signifient rien si l'on n'en use pas. Nous lançons un appel solennel aux intellectuels de toutes les tendances, de toutes les institutions et de tous les milieux pour qu'ils se joignent à nous. Il y va de l'avenir du Québec.

JOCELYNE COUTURE, PIERRE GENDRON,
GUY LACHAPELLE, JACQUES-YVAN MORIN, KAI NIELSEN,
GUY ROCHER, MICHEL SARRA-BOURNET,
MATHIEU ROBERT SAUVÉ, MICHEL SEYMOUR,
GENEVIÈVE SICOTTE, DANIEL TURP,
JULES-PASCAL VENNE

IPSO
INTELLECTUELS POUR LA SOUVERAINETÉ

Les 300 premiers membres

Luc ABRAHAM, professeur, Collège de Saint-Hyacinthe, philosophie
Mathieu ALBERT, étudiant, Université de Montréal, sociologie
Denis ALLAIRE, professeur, Université de Sherbrooke, psychologie
Caroline ALLARD, étudiante, maîtrise en philosophie, Université de Montréal
Jacques ALLARD, professeur, Université de Sherbrooke, mathématiques
Maurice ARBOUR, professeur, Faculté de droit, Université Laval
Gonzalo ARRIAGA, étudiant, doctorat en sciences politiques, UQAM
Isabelle ASSELIN, musicienne
Antonia ATHANASSIADIS, psychologue
Pierre AUBRY, professeur retraité, Collège Édouard-Montpetit, physique
Noël AUDET, écrivain et professeur, UQAM
France BARABY, étudiante, Université de Montréal, anthropologie
Jacques BEAUCHEMIN, professeur, UQAM, sociologie
Michel BEAUDRY, analyste en informatique, INRS-Urbanisation
Danielle BEAULIEU, professeure, Collège André-Grasset, philosophie
Joël BÉLANGER, étudiant, Université de Montréal, communication
Louis BÉLANGER, professeur, Université du Nouveau-Brunswick, littérature

MANIFESTE DES INTELLECTUELS POUR LA SOUVERAINETÉ

Paul BÉLANGER, professeur, UQAM, sociologie
Yves BÉLANGER, professeur, UQAM, sciences politiques
Patricia BELZIL, rédactrice, Cahiers de théâtre « Jeu »
Serge BÉRARD, historien de l'art
Luce BERGERON, enseignante
Réjean BERGERON, étudiant, doctorat en philosophie, Université de
   Montréal
Louis BERNARD, directeur, Département de médecine sociale et
   préventive, Université Laval
Paul-Marie BERNARD, professeur, Faculté de médecine, Université
   Laval
Paul BERNIER, chercheur postdoctoral, Université de Montréal,
   philosophie
René BERTHIAUME, président, Centre de perfectionnement en
   français écrit
Renée BILODEAU, professeure, Faculté de philosophie, Université
   Laval
Marie BLAIS, chargée de cours, UQAM, urbanisme
France BOIVERT, écrivaine
Élaine BONIN, documentaliste, Vidéographe
Dominique BOSSÉ, chargée de cours, Université de Montréal,
   linguistique
Gérard BOUCHARD, directeur, Institut interuniversitaire de recherche
   sur les populations
Lucien-Pierre BOUCHARD, étudiant, doctorat en sciences politiques,
   École des Hautes Études en Sciences Sociales
Roch BOUCHARD, professeur, Université d'Ottawa, philosophie
Louis-Philippe BOUDREAU, monteur, Vidéographe
Michel BOULAY, musicien
Josée BOURDAGES, étudiante, doctorat en épidémiologie, Université
   Laval
Rémi BOURDEAU, professeur, Collège François-Xavier-Garneau,
   sciences économiques
Sophie BOURQUE, avocate
Marc-André BRIE, professeur, Collège de Drummondville, philosophie
Henri BRUN, professeur, Faculté de droit, Université Laval
Manon BRUNET, professeure, UQTR, littérature
Conrad BUREAU, professeur, Université Laval, linguistique
Lynda BURGOYNE, professeure, Université Laurentienne, littérature
Brigitte BUSSIÈRE, production, Vidéographe

LES TROIS CENT CINQUANTE PREMIERS MEMBRES D'IPSO

Jacques BUSSIÈRE, enseignant
Didier CALMELS, étudiant, Université de Montréal, philosophie
Bernard CARNOIS, professeur, Université de Montréal, philosophie
Charles CASTONGUAY, professeur, Université d'Ottawa, mathématiques
Venant CAUCHY, professeur émérite de philosophie, Université de Montréal
Paul CHAMBERLAND, écrivain et professeur, UQAM
Pierre CHARBONNEAU, professeur, Collège du Vieux-Montréal, philosophie
Pierre CHARLEBOIS, professeur, Collège de Shawinigan, sciences de l'administration
Albert CHARTIER, bédéiste
Jean CHASSÉ, professeur, Collège du Vieux-Montréal, philosophie
Pierre CHÂTEAUVERT, attaché politique
Gaston CHOLETTE, ex-président, Office de la langue française
Marie CHOLETTE, écrivain
Jean CIMON, urbaniste
Anne-Marie CLARET, professeure, Collège du Vieux-Montréal, philosphie
Édouard CLOUTIER, professeur, Université de Montréal, sciences politiques
Claude COLLIN, professeur, Collège du Vieux-Montréal, philosophie
Robert COMEAU, professeur, UQAM, histoire
Raoul COMTOIS, professeur, Collège du Vieux-Montréal, philosophie
Christine CORBEIL, professeure, UQAM, travail social
Normand CORBEIL, professeur, Collège du Vieux-Montréal, philosophie
Roger CORMIER, professeur, Faculté d'éducation, Université de Sherbrooke
Mario CÔTÉ, artiste, Vidéographe
Michel CÔTÉ, professeur, Collège du Vieux-Montréal, philosophie
Bernard COURTEAU, professeur, Université de Sherbrooke, mathématiques
Jacques COUTURE, documentaliste, Vidéographe
Jocelyne COUTURE, professeure, UQAM, philosophie
Esther CYR, muséologue
Francine DANIEL, professeure, Collège du Vieux-Montréal
Marie-France DANIEL, professeure, Université de Montréal, éducation physique

MANIFESTE DES INTELLECTUELS POUR LA SOUVERAINETÉ

René DANSEREAU, professeur, Collège du Vieux-Montréal
Jean DAOUST, professeur, Collège François-Xavier-Garneau
Pierre DE BELLEFEUILLE, journaliste
Charles DE MESTRAL, professeur, Collège du Vieux-Montréal
Jacques DES MARCHAIS, vice-doyen, Faculté de médecine, Université de Sherbrooke
Francine DESCARRIES, professeure, UQAM, sociologie
Laurent DESHAIES, professeur, UQTR, géographie
Daniel DESJARDINS, professeur, Collège de Maisonneuve, sciences sociales
Alexandre DESLONGCHAMPS, étudiant, UQAM, biochimie
Hugues DIONNE, professeur, UQAR, sociologie
Gilles DOSTALER, professeur, UQAM, sciences économiques
Pierre DROUILLY, professeur, UQAM, sociologie
Paul DROUIN, professeur, Collège Édouard-Montpetit, philosophie
Michel DUBÉ, étudiant, maîtrise en études littéraires, UQAM
Jean-Didier DUFOUR, professeur, Collège François-Xavier-Garneau
Michel DUFOUR, professeur, Collège de Maisonneuve, philosophie
Monique DUFRESNE, chargée de cours, UQAM, linguistique
André DUHAMEL, chargé de cours, UQAM, philosophie
Fernand DUMONT, professeur, Université Laval, sociologie
Pierre DUPUIS, chirurgien
Stéphane ÉTHIER, avocat
Jean ÉTHIER-BLAIS, écrivain
Pierre FALARDEAU, cinéaste
Luc FAUCHER, chargé de cours, UQAM, philosophie
Yves FAVREAU, chargé de cours, Université de Montréal, études françaises
Andrée FERRETTI, écrivain
Madeleine FERRON, écrivain
Suzanne FOISY, professeure, UQTR, philosophie
Anne-Marie FOREST, peintre-illustratrice
Andrée FORTIN, professeure, Université Laval, sociologie
Stéphane FORTIN, étudiant, doctorat en biologie, Université de Montréal
Élise FOURNIER, TÉLUQ
Jacques FOURNIER, rédacteur en chef, revue « Interaction communautaire »
Louis FOURNIER, responsable des communications, FTQ
Gilles GAGNÉ, professeur, Université Laval, sociologie

LES TROIS CENT CINQUANTE PREMIERS MEMBRES D'IPSO

Jean GAGNÉ, administrateur, Ministère de l'Industrie, du Commerce,
de la Science et de la Technologie
Mireille GAGNÉ, musicologue
Éric GAGNON, sociologue, Université Laval
Martin GAGNON, étudiant, doctorat en philosophie, Université de
Montréal
Micheline GAGNON, professeure, Université de Montréal, éducation
physique
Marcel GAUDREAU, chercheur, INRS-Urbanisation
Louis GAUTHIER, écrivain
Yvon GAUTHIER, professeur, Université de Montréal, philosophie
Gérard GÉLINAS, professeur, Collège du Vieux-Montréal, philosophie
Pierre GENDRON, chercheur, Centre de recherche en droit public,
Université de Montréal
Jean GENEST, musicien
Bernard GERMAIN, professeur, Collège du Vieux-Montréal, psycho-
logie
André GERVAIS, professeur, UQAR, lettres
Marie-Claude GERVAIS, juriste, Centre de recherche en droit public,
Université de Montréal
Bastien GILBERT, directeur général, Regroupement des centres d'ar-
tistes autogérés du Québec
François-Pierre GINGRAS, professeur, Université d'Ottawa, sciences
politiques
Jacques GIRARD, professeur, Faculté de médecine, Université Laval
Jean-Cléo GODIN, professeur, Université de Montréal, études françaises
Martin GODON, professeur, Collège du Vieux-Montréal, philosophie
Jean-Luc GOUIN, étudiant, doctorat en philosophie, Université Laval
Pierre GRAVEL, professeur, Université de Montréal, philosophie
Pierre GRAVELINE, écrivain
Gisèle GROLEAU, étudiante, doctorat en sciences politiques, Université
Laval
Christian GUAY, assistant-metteur en scène de théâtre
Jean-Louis GUILLEMOT, étudiant, doctorat en philosophie, Université
d'Ottawa
Roger GUY, professeur, UQAT, travail social
Jamil HADDAD, professeur, Collège du Vieux-Montréal, philosophie
André HÉBERT, Vidéographe
Thierry HENTSCH, professeur, UQAM, sciences politiques
Jacques HÉRIVAULT, étudiant, maîtrise en sciences politiques, UQAM

27

MANIFESTE DES INTELLECTUELS POUR LA SOUVERAINETÉ

Annie HÉROUX, étudiante, doctorat en chimie, Université de Montréal
Marc IMBEAULT, professeur, philosophie
Réal JACOB, professeur, UQTR, sciences économiques
Jacques JANELLE, professeur, Collège de Drummondville, philosophie
Robert JASMIN, avocat et écrivain
Pierre JEAN, médecin
Pierre-André JULIEN, directeur, Chaire Bombardier en gestion du changement technologique, UQTR
Pierrette JUTRAS, étudiante, doctorat en littérature comparée, Université de Montréal
Nicolas KAUFMANN, professeur, UQTR, philosophie
Micheline LA FRANCE, romancière
Gilbert LABELLE, professeur, UQAM, mathématiques
Gilles LABELLE, professeur, Université d'Ottawa, sciences politiques
Suzanne LABERGE, professeure, Université de Montréal, éducation physique
France LACHAPELLE, bibliothécaire
Guy LACHAPELLE, professeur, Université Concordia, sciences politiques
Jean LACHAPELLE, étudiant, doctorat en philosophie, Université de Guelph
Louise LACROIX, anthropologue
Hélène LADOUCEUR, enseignante
Guy LAFLÈCHE, professeur, Université de Montréal, études françaises
Guy LAFONDS, écrivain
Luc LAFONTAINE, professeur, Collège François-Xavier-Garneau
Guy LAFRANCE, professeur, Université d'Ottawa, philosophie
Michel-Francis LAGACÉ, linguiste et écrivain
Robert LAHAISE, professeur, UQAM, histoire
Éva LAMBERT, professeure, Séminaire de Sherbrooke, littérature
Pierre LAMONTAGNE, professeur, Collège du Vieux-Montréal, sciences économiques
Henri LAMOUREUX, écrivain
Marie LAMOUREUX, conseillère pédagogique, Collège du Vieux-Montréal
Jacques LANCTÔT, éditeur
Marie-Claire LANCTÔT, professeure, Collège du Vieux-Montréal, philosophie
Raymond Landry, professeur, Séminaire de Sherbrooke, littérature
André LANEVILLE, professeur, Université de Sherbrooke, génie mécanique

LES TROIS CENT CINQUANTE PREMIERS MEMBRES D'IPSO

Monique LANGLOIS, chargée de cours, UQAM, histoire de l'art
Hélène LAPERRIÈRE, étudiante, doctorat en urbanisme, Université de Montréal
Jacques LARIVÉ, professeur, Collège de Rimouski, informatique
Hélène LAURIN, attachée de presse
Réal LAUZON, sculpteur
Jean-Marc LAVOIE, professeur, Université de Montréal, éducation physique
Pierre LAVOIE, directeur, Maison des écrivains, UNEQ
Rose-Marie LÈBE, professeure, Université de Montréal, éducation physique
Patrice LEBEAU, professeur, UQAT, sociologie
Guy LEBOEUF, étudiant, doctorat en philosophie, Université de Montréal
Hélène LECLÈRE, professeure, Faculté de médecine, Université Laval
Marthe LEFEBVRE, professeure, Collège de Valleyfield, philosophie
Sylvain LEFEBVRE, chercheur, INRS-Urbanisation
Josée LEGAULT, politicologue et auteur
Jean-Marc LÉGER, administrateur, Fondation Lionel-Groulx
Denyse LEMAY-DES MARCHAIS, directrice d'école
André LEMELIN, économiste, INRS-Urbanisation
Serge LEMOYNE, peintre
Jean LEROUX, professeur, Université d'Ottawa, philosophie
Pierre LEROUX, professeur, UQAM, mathématiques
Danièle LETOCHA, professeure, Université d'Ottawa, philosophie
Jacques LÉVEILLÉE, professeur, UQAM, sciences politiques
Benoît LÉVESQUE, professeur, UQAM, sociologie
Céline LÉVESQUE, professeure, UQAT, sciences de la santé
France LÉVESQUE, étudiante, Université Laval, histoire de l'art
Solange LÉVESQUE, critique, Cahiers de théâtre « Jeu »
Andrew LUGG, professeur, Université d'Ottawa, philosophie
Louise MAILLOUX, professeure, Collège du Vieux-Montréal, philosophie
Rock MARCHILDON, étudiant, Université de Montréal, philosophie
Claire MARCIL-FAUBERT, professeure, Université de Montréal, éducation physique
Sylvain MARCOTTE, étudiant, Université de Montréal, sociologie
Elisabeth MARIER, directrice, Vidéographe
Mathieu MARION, professeur, Université d'Ottawa, philosophie
Normand MARION, professeur, UQAM, sciences juridiques

MANIFESTE DES INTELLECTUELS POUR LA SOUVERAINETÉ

Jean-Pierre MARQUIS, professeur, UQAT, travail social
Lise MARTIN, responsable de la distribution, Vidéographe
Pierre MARTIN, professeur, Université de Montréal, sciences politiques
Guylaine MARTINEAU, étudiante, Université Laval, épidémiologie
Bjarne MELKEVIK, professeur, Faculté de droit, Université Laval
Benoît MERCIER, chargé de cours, UQAM, philosophie
Anne-Marie MESSIER, directrice générale, Société de musique contemporaine du Québec
Gaston MIRON, éditeur et écrivain
André MONGEAU, peintre
Martin MONTMINY, chercheur postdoctoral, Université Rutgers
Thérèse MORAIS, professeure, Faculté de médecine, Université Laval
Diane MOREAU, peintre
Claude MORIN, professeur, École nationale d'administration publique
Jacques-Yvan MORIN, professeur, Faculté de droit, Université de Montréal
Gabriel MORISSETTE, bédéiste
Noël MOUBAYED, professeur, Collège de Drummondville, philosophie
Henry MUNOZ, chargé de cours, UQAM, linguistique et espagnol
Jean-François NADEAU, Journal « Le Quartier Libre », Université de Montréal
Robert NADEAU, professeur, UQAM, philosophie
Josée NÉRON, étudiante, Faculté de droit, Université Laval
Kai NIELSEN, professeur émérite, Université de Calgary
Pierre NOREAU, professeur, UQAT, sciences politiques
Éric NORMANDEAU, coordonnateur, Centre de recherche-action sur les relations raciales
Ercilia PALACIO-QUINTIN, professeure, UQTR, psychologie
Luc PAPINEAU, professeur de français
Claude PARÉ, archiviste, Vidéographe
Pierre PATENAUDE, professeur, Faculté de droit, Université de Sherbrooke
Hélène PELLETIER-BAILLARGEON, journaliste et écrivain
Jocelyn PERRAULT, professeur, UQTR, marketing
André PIÉRARD, professeur, UQAM, sociologie
Raphaël PINET, professeur de physique
Nadine PIROTTE, coordonnatrice, Collège du Vieux-Montréal
Bertrand POIRIER, directeur, Département des langues, Collège Marianopolis
Suzanne POIRIER, gestionnaire, Vidéographe

LES TROIS CENT CINQUANTE PREMIERS MEMBRES D'IPSO

Alexandre POPESCU, professeur, Université de Montréal, éducation physique
André-Claude POTVIN, étudiant, Université de Montréal, communication
Louise POULIN-ROY, relationniste
Pierre-Paul PROULX, professeur, Université de Montréal, sciences économiques
Paul-André QUINTIN, professeur, UQTR, philosophie
Jean-Marie RAINVILLE, professeur, Université de Montréal, sociologie
Jean-Claude RAVET, étudiant, doctorat en sociologie, UQAM
François RAYMOND, professeur, Collège Édouard-Montpetit, philosophie
Alix RENAUD, écrivain
Gilles RHÉAUME, professeur, Collège de Drummondville, philosophie
Marie-Josée RHÉAUME, professeure, Collège du Vieux-Montréal, philosophie
Bertrand RIOUX, professeur retraité, Université de Montréal, philosophie
Isabelle RIVARD, étudiante, Faculté de philosophie, Université Laval
Pierre ROBERGE, professeur, Université Laval, chimie
Michel ROBERT, professeur, Collège du Vieux-Montréal, philosophie
Benoît ROBICHAUD, professeur, Université de Montréal, linguistique
Ann ROBINSON, professeure, Faculté de droit, Université Laval
François ROCHER, professeur, Université Carleton, sciences politiques
Guy ROCHER, professeur, Centre de recherche en droit public, Université de Montréal
Thérèse ROMER, journaliste
Yvan ROUSSEAU, designer
Bruno ROY, écrivain
Jean ROYER, écrivain et éditeur
Paul SABOURIN, professeur, Université de Montréal, sociologie
Georgine SAINT-LAURENT, professeure, Collège François-Xavier-Garneau
Michel SARRA-BOURNET, chercheur, École nationale d'administration publique
Ginette SAUVÉ, professseur, UQAT, psychologie
Mathieu-Robert SAUVÉ, journaliste et auteur
Nathalie SAVARD, étudiante, doctorat en philosophie, UQTR
Michel SEYMOUR, professeur, Université de Montréal, philosophie
Arthur SHEEDY, professeur, Université de Montréal, éducation physique

MANIFESTE DES INTELLECTUELS POUR LA SOUVERAINETÉ

Anne-Marie SICOTTE, écrivain

Geneviève SICOTTE, étudiante, doctorat en études françaises, Université de Montréal

Jean-Claude SIMARD, professeur, Collège de Rimouski, philosophie

Yvon SIMARD, professeur, Collège du Vieux-Montréal, philosophie

Alain THÉRIAULT, étudiant, maîtrise en linguistique, Université de Montréal

Johanne THÉRIEN, professeure, Collège du Vieux-Montréal, philosophie

Martin THIBAULT, enseignant, Centre de perfectionnement en français écrit

Gilles TREMBLAY, compositeur

Robert TREMBLAY, professeur, Collège du Vieux-Montréal, philosophie

Guylaine TROTTIER, comptable, Vidéographe

Raymond TRUCHON, professeur, Faculté de théologie, Université Laval

Serge TRUDEL, étudiant, doctorat en études françaises, Université de Montréal

Fernand TURCOTTE, professeur, Faculté de médecine, Université Laval

Daniel TURP, professeur, Faculté de droit, Université de Montréal

Pierre VADEBONCOEUR, écrivain

Line VAILLANCOURT, professeure, Collège du Vieux-Montréal, philosophie

Michel VAÏS, animateur et critique de théâtre, Radio-Canada

Richard VALLÉE, professeur, philosophie

Raynald VALOIS, vice-doyen, Faculté de philosophie, Université Laval

Louise VANDELAC, professeure, UQAM, sociologie

Robert VANDYCKE, professeur, Université de Montréal, sociologie

Martin VAUCLAIR, avocat

Jules-Pascal VENNE, professeur, Collège Édouard-Montpetit, sciences politiques

Louise VIGEANT, professeure, Collège Édouard-Montpetit, littérature

Robert WARE, professeur, Université de Calgary, philosophie

Ghislaine WATTELLE, professeure, Collège du Vieux-Montréal, philosophie

Jacques WATTELLE, professionnel retraité, Ministère des Communautés culturelles et de l'immigration

Philip WICKHAM, étudiant en théâtre, UQAM

II

DOUZE ESSAIS SUR L'AVENIR DU QUÉBEC

INTRODUCTION
SI LE QUÉBEC DEVENAIT UN PAYS SOUVERAIN

Michel Sarra-Bournet *

Les Intellectuels pour la souveraineté (IPSO) est une organisation plutôt informelle qui a vu le jour au début de l'été 1995, au moment où plusieurs d'entre nous croyaient encore aux vacances. L'objectif d'IPSO est d'aider les intellectuels souverainistes à participer au débat référendaire. À la suite la publication de « OUI au changement », le manifeste fondateur d'IPSO, ses premiers membres ont envisagé que d'autres moyens pour faire valoir les arguments qui y sont énoncés. La rédaction d'un manifeste plus élaboré fut confiée à Michel Seymour a été rendu public le 15 septembre[1].

Cet ouvrage collectif constitue un autre moyen d'approfondir la pensée souverainiste. Nous avons demandé à

---

* École nationale d'administration publique. (Montréal). Département de science politique, Université d'Ottawa.
1. M. Seymour *et al.*, *La néssaire souveraineté : dix arguments pour le Québec*, Montréal, Intellectuels pour la souveraineté, 1995, 96 p.

plusieurs intellectuels québécois de disserter sur l'un des arguments du Manifeste ou d'élaborer leur propre argument. Nous regroupons ici le résultat cet effort de réflexion individuelle. Ces personnes représentent divers courants de la pensée souverainiste. Pour les uns, la souveraineté est le moyen d'atteindre un bien supérieur, comme la cohérence des politiques, la solidarité, la créativité. Pour les autres, elle est le but premier, le seul moyen d'assurer, par exemple, l'égalité nationale ou l'épanouissement du français. Leurs propos peuvent même se contredire sur certains points, comme par exemple sur le type de vision qu'entrenait Trudeau sur la nature de la nation québécoise. Toutefois, au-delà de ces différences, il demeure que tous les auteurs endossent le projet de souveraineté du Québec et que chaque chapitre présente des arguments cohérents. Nous vous résumons ces arguments ci-après.

Si le Québec devenait un pays souverain...

Guy Rocher

Les immigrants s'intégreraient plus facilement à la majorité de langue française et participeraient plus naturellement à la culture québécoise.

François Rocher et Michel Sarra-Bournet

On mettrait fin à plusieurs siècles d'inégalité entre les sociétés française et anglaise au Canada.

Le rêve québécois d'un partenariat binational avec le Canada anglais deviendrait réalisable.

Le statut du Québec correspondrait à la vision qu'ont les Québécois de la nature de leur société : une nation égale aux autres nations.

Lucien-Pierre Bouchard et Roch Bouchard

Le Québec serait en position d'articuler sa souveraineté avec celle des pays voisins dans les domaines d'intérêt commun.

Le Québec pourrait se confédérer avec d'autres pays — le Canada au premier chef — en déléguant des pouvoirs à une institution commune.

Les Québécois auraient exercé un droit collectif qui constitue le prolongement naturel des libertés individuelles et qui ne vient pas en contradiction avec les droits de la personne.

Le Québec pourrait reconnaître un statut officiel et fort à la minorité anglophone — et même accepter d'autres différences identitaires — et s'attendre à ce que le Canada agisse réciproquement.

Michel Seymour

Le Québec serait reconnu comme nation à part entière.

Les torts infligés à la nation québécoise seraient redressés.

Il se produirait un grand déblocage constitutionnel et d'autres problèmes concrets pourraient être résolus.

Les Québécois et les Premières Nations présentes au Québec pourraient saisir l'occasion pour conclure un pacte.

Charles Castonguay et Josée Legault

Ce serait la fin du bilinguisme de façade du Canada.

Le retrait des Québécois de la fonction publique canadienne stopperait leur assimilation à la langue anglaise.

Le pouvoir d'assimilation du français serait renforcé par l'accession de cette langue au statut de langue de la majorité.

Les non-francophones accepteraient enfin le caractère unique et francophone de la société québécoise, de même que sa Charte de la langue française.

Mathieu-Robert Sauvé et Geneviève Sicotte

L'effritement progressif de la différence québécoise au Canada serait stoppée.

Le développement de la communauté québécoise comme espace de liberté profiterait aux arts.

Les artistes cesseraient définitivement de porter le poids de la survie collective et de subordonner leur créativité à la question nationale.

Mona-Josée Gagnon

Les compétences législatives seraient regroupées au sein d'un seul État, celui du Québec, qui serait en mesure d'appliquer des politiques cohérentes en réponse à l'action politique des groupes et des individus.

Les forces sociales seraient libérées du frein que constitue la question nationale et le débat politique en serait rehaussé.

Pierre-Paul Proulx

Les coûts inhérents à la recherche constante d'un nouveau fédéralisme n'existeraient plus.

On éviterait que dans l'avenir, le Québec ne donne plus d'argent au gouvernement fédéral qu'il n'en reçoit.

Le Québec ne ferait plus partie d'un régime fédéral qui a été centralisé pour répondre aux demandes de l'Ontario, des provinces Atlantiques et de certaines provinces des Prairies.

Ce serait la fin des politiques fédérales qui favorisent le commerce est-ouest (profitables à l'Ontario) aux dépens des échanges nord-sud (bénéfiques à l'économique québécoise).

La décentralisation de l'économie québécoise deviendrait davantage possible.

La compétitivité des entreprises serait accrue par une plus grande synergie et une collaboration encore meilleure entre Québécois et Québécoises.

La dynamique interne de l'économie québécoise, qui est liée à un contrat social axé sur l'emploi, le développement économique, social, culturel et linguistique, serait libérée.

Pierre-André Julien

Les Québécois jouiraient, selon les théories économiques récentes, d'une petite économie florissante.

La cohérence socio-économique du Québec serait augmentée par une information et une intercommunication adaptée à la culture et aux besoins des entreprises d'ici.

Le Québec pourrait développer en français le secteur des communications — l'autoroute électronique étant de compétence fédérale — et favoriser les réseaux d'information économique locaux.

Jocelyne Couture et Kai Nielsen

L'ouverture du Québec sur le monde serait consacrée par l'affirmation de son identité.

L'État québécois représenterait correctement les intérêts des citoyens au niveau supra-national.

À travers son État démocratique, les citoyens du Québec exerceraient eux-mêmes de façon libre et égale le pouvoir de décision sur l'organisation et le fonctionnement de leur société.

Les intérêts de la population de langue française et la culture propre au Québec seraient promus.

Henry Milner et Jules-Pascal Venne

La tradition démocratique québécoise serait garante du caractère tolérant du processus d'intégration à l'identité québécoise, qui est un facteur de cohésion.

Les nations canadienne et québécoise pourraient établir de nouveaux types de structures politiques qui tiendraient compte des réalités sociologiques de ces deux communautés et des contraintes de la globalisation.

Guy Lachapelle

La souveraineté du Québec serait un geste légitime et légal réalisé grâce à un processus démocratique et non violent.

Daniel Turp

Le Québec aurait exercé le droit de décider librement de son avenir que lui ont reconnu, implicitement ou explicitement, les acteurs politiques du reste du Canada.

Les Québécois seraient à même de rédiger et de modifier eux-mêmes une Constitution — leur loi fondamentale — sans imposition ni ingérence de l'extérieur.

MICHEL SARRA-BOURNET

Remerciements

Je désire remercier Mathieu-Robert Sauvé, Michel Seymour, Geneviève Sicotte et Jules-Pascal Venne qui m'ont assisté dans le révision des articles, ainsi que Pierre Gendron qui a, de plus, confectionné et mis à jour la liste des membres d'IPSO. Une reconnaissance particulière à Antoine Del Busso et à son équipe qui nous ont permis de réaliser ce projet dans des délais pour le moins inhabituels.

Ce livre contient une introduction, mais il n'aura pas de conclusion. Le jour venu, il appartiendra à chacun des lecteurs de tirer la sienne.

LA LONGUE QUÊTE
DE L'ÉGALITÉ

François Rocher* et Michel Sarra-Bournet

> Un monde en ordre est un monde de nations
> indépendantes, ouvertes les unes aux autres
> dans le respect de leurs différences
> et de leurs similitudes.
>
> BOUTROS BOUTROS-GHALI
> à Montréal, 24 mai 1992

La subordination du Québec

Tout au long de son histoire, le Québec a fait partie d'un empire ou d'un pays plus grand que lui. Il n'a jamais joui d'un statut ou d'un traitement de société égale à ses voisines. Aujourd'hui encore, le Canada anglais le considère comme une partie de son corps politique, qui doit bien sûr obéir à sa tête, située à Ottawa. Pourtant, une majorité de Québécois considère que le Québec est lui-même un corps entier, une société complète et distincte, qui existait bien

Département de science politique, Carleton University (Ottawa).

43

avant que la Conquête eût mis fin au Régime français. Deux cent trente-cinq ans plus tard, le statut politique du Québec ne correspond toujours pas aux aspirations de son peuple. Ce qui est encore plus grave, les Québécois n'ont jamais donné leur consentement au régime politique qui les a encadrés. Et pour cause : durant toute leur histoire, ils se sont battus pour une égalité politique qui leur a échappé.

La Confédération : association ou séparation ?

Les fédéralistes présentent souvent la Confédération de 1867 comme un acte d'adhésion du Québec à l'ensemble canadien. Or, cet événement, que l'histoire officielle considère comme l'acte de naissance du Canada, est un compromis politique fort complexe qui s'est conclu dans un contexte de crise parlementaire et internationale.

L'Union de 1840 avait fondu le Canada anglais (Haut-Canada) et le Québec (Bas-Canada) dans un régime quasi unitaire. Toutefois, puisque la population du Québec était plus nombreuse et que les Canadiens-anglais ne désiraient pas que la règle de la majorité joue en leur défaveur, la règle de la double majorité fut introduite dans le jeu parlementaire. Ainsi, le gouvernement du Canada-Uni devait-il obtenir simultanément la confiance des députés du Québec (Canada-Est) et du Canada anglais (Canada-Ouest). Il en résulta une grande instabilité politique : quand le Québec et le Canada anglais élisaient des députés de tendances différentes, et que ceux-ci votaient dans des directions opposées, le gouvernement du Canada devait remettre sa démission.

Pendant ce temps, la situation démographique se renversait peu à peu. Dès le milieu du siècle, la population du Canada-Ouest dépassa celle du Canada-Est, et des leaders politiques anglophones se mirent à dénoncer l'égalité conférée aux députés du Québec. Par conséquent, ils réclamèrent le « Rep. by pop. », la représentation proportionnelle à la population. Alors, dès que l'égalité entre les deux parties du Canada joua contre eux, les Canadiens anglais la répudièrent.

Ainsi, entre 1864 et 1867, la Confédération canadienne fut-elle élaborée non seulement dans le but de mettre fin à l'instabilité parlementaire, mais aussi pour éliminer l'égalité politique qui existait entre le Québec et le Canada anglais. Le contexte international fut également favorable à cette entreprise : la fin de la Guerre civile faisait craindre l'expansionnisme américain, la Grande-Bretagne désirait se délester d'une partie de ses charges coloniales et la fin du Traité de réciprocité commerciale entre le Canada et les États-Unis rendait nécessaire la création d'un grand marché au nord du 49e parallèle.

Qu'est-ce que les Québécois avaient à gagner à faire partie d'une fédération formée du Québec et de trois provinces anglaises, l'Ontario, le Nouveau-Brunswick et la Nouvelle-Écosse ? Ce qui attirait les leaders québécois, y compris le clergé, ce n'était pas l'intégration à l'ensemble canadien, mais la possibilité de retrouver une certaine autonomie politique. En effet, la Confédération signifiait :

1) la fin de l'Union de 1840 qui symbolisait la disparition de la communauté politique québécoise ;
2) la remise sur pied des institutions politiques autonomes reconnues par l'Acte constitutionnel de 1791.

Loin d'être la consommation de la Conquête ou une renonciation à la souveraineté, la Confédération était le premier pas vers le développement autonome de la communauté politique québécoise. Ceux qui s'y opposaient à l'époque trouvaient cette autonomie insuffisante et mettaient en doute la bonne foi des politiciens de la majorité canadienne-anglaise qui, comme John A. Macdonald, auraient préféré une union encore plus forte à défaut d'un régime unitaire.

Le Canada anglais et l'Anglo-conformity

Le compromis de 1867 a été interprété de diverses façons, tant au Canada anglais qu'au Québec. À l'origine, il fut compris par les Canadiens anglais comme une concession à la minorité canadienne-française. Les « privilèges » accordés à la langue française n'étaient d'ailleurs valables qu'au sein du Parlement canadien et dans la province de Québec, où l'usage de l'anglais ne devait par contre subir aucune entrave. Parce qu'elle n'accordait pas des conditions semblables au Québec et aux provinces anglaises du Canada, la Constitution de 1867 allait à l'encontre de l'idée du « pacte entre deux nations » qui allait se développer plus tard au Québec.

De plus, à la fin du 19e siècle, une série de gestes posés par les administrations provinciales canadiennes-anglaises accélérèrent la disparition de la langue française en dehors du Québec. Dès 1871, l'enseignement du français fut interdit dans les écoles du Nouveau-Brunswick. En 1890, les écoles françaises furent abolies et l'enseignement du français défendu au Manitoba.

La notion d'une dualité canadienne présente d'un océan à l'autre a d'abord été mise de l'avant par Henri Bourassa au début de ce siècle. Elle visait à contrer le sentiment impérialiste qui rattachait les Canadiens anglais à leur mère-patrie et était fondée sur la réalité sociologique de cette époque — en effet, les territoires de l'Ouest du Canada recelaient encore d'importantes communautés francophones. Cette vision du Canada préconisait « l'égalité des deux races », comme le voulait l'expression consacrée à l'époque.

Cependant, le phénomène d'assimilation se poursuivit, renforcé par la volonté politique du Canada anglais que même le Premier ministre canadien-français Wilfrid Laurier ne sut arrêter. Lors de la création des provinces de Saskatchewan et d'Alberta en 1905, on refusa de garantir le droit à l'enseignement du français. Un an avant sa mort, Wilfrid Laurier se confia à Henri Bourassa en ces termes : « C'est un malheur que le Premier ministre soit un Canadien français, parce que comme Canadien français j'ai fait des choses que je n'aurais jamais faites si j'avais été anglais[1]. »

En 1915, un autre coup dur frappa les Canadiens français : le Règlement XVII supprima les écoles francophones en Ontario. Dans les décennies qui ont suivi, la situation démographique des francophones vivant ailleurs qu'au Québec s'est rapidement affaiblie. De moins en moins de collectivités francophones ont conservé la masse critique nécessaire à une vie communautaire. Par conséquent, leurs membres ont dû s'assimiler à la société canadienne-anglaise au même titre que les immigrants. Les efforts entrepris dans les années 1970 dans le but de raviver ces communautés sont arrivés trop tard.

L'effet uniformisant de la centralisation

Le gouvernement fédéral est le principal instrument du projet national canadien. Les deux crises de la conscription

---

1. Cité dans Réal Bélanger, *Wilfrid Laurier. Quand la politique devient passion,* Québec et Montréal, Les Presses de l'Université Laval et Les entreprises Radio-Canada, 1986, p. 449.

qui ont ponctué le 20ᵉ siècle sont des exemples probant du fait que le Québec est dominé dans le régime canadien lorsqu'il s'agit d'enjeux fondamentaux. Dans les deux cas, la volonté de la majorité du Canada de conscrire des soldats a prévalu sur celle de la majorité des Québécois qui désiraient procéder par d'autres moyens.

Suite aux deux conflits mondiaux, le Canada anglais entreprit enfin de se détacher politiquement, économiquement et psychologiquement de la Grande-Bretagne. Mais plutôt que d'adhérer à une notion dualiste du Canada, il mit de l'avant un vaste projet national fondé sur la construction de l'État canadien.

C'est au cours de cette période que le gouvernement fédéral mit sur pied une kyrielle de programmes à frais partagés et accrut son intervention dans les domaines de la sécurité sociale (allocations familiales, assurance-chômage, pensions de vieillesse), de l'éducation supérieure et des soins de santé. Ces multiples interventions, qui contribuèrent à jeter les bases de l'État-providence canadien, avaient la particularité de s'effectuer dans des champs de compétence initialement dévolus aux provinces. Ces transformations reçurent un accueil favorable de la part de toutes les provinces à l'exception du Québec, qui voyait d'un mauvais œil l'extension de l'intervention de l'État. Bien que le régime ait alors été moins centralisé qu'il l'avait été au cours de la Seconde Guerre mondiale, son degré de centralisation était bien supérieur à ce qu'il avait été depuis Macdonald. Ce nouvel interventionnisme étatique attribuait aux provinces un rôle subordonné au sein du fédéralisme canadien. L'approche privilégiée par le gouvernement central fut lourde de conséquences sur l'évolution des relations intergouvernementales puisqu'elle rejetait le modèle classique du fédéralisme faisant appel à la division des pouvoirs pour épouser celui du chevauchement des compétences et de l'interdépendance dans la mise en œuvre des politiques. Il est vrai que ces nouvelles fonctions étatiques n'auraient pu voir le jour sans le consentement des provinces, mais c'est d'abord et avant tout le gouvernement fédéral qui participa à la définition des règles du jeu, disposant des moyens financiers pour arriver à ses fins.

La généralisation des programmes à frais partagés contribua à rendre moins étanche la division des pouvoirs prévue dans la Constitution de 1867 et permit au gouvernement fédéral d'intervenir dans des domaines où il était auparavant exclu. De plus, en définissant les conditions d'obtention des transferts fédéraux, il était maintenant en mesure d'exercer un contrôle considérable sur l'ampleur et le contenu de ces politiques et ce, même si les provinces durent accroître aussi leur rôle puisqu'elles étaient responsables de leur administration.

Dans un premier temps, le gouvernement conservateur de Duplessis, appuyé par les élites traditionnelles du Québec, ne put faire mieux que de tenter de défendre les prérogatives provinciales du Québec. C'est toutefois sous le régime Duplessis, grâce à la Commission Tremblay qui déposa son rapport en 1956, que fut renouvelée la façon dont on appréhenda les relations fédérales-provinciales au cours des années 1960 et 1970. Mais il fallut attendre l'arrivée d'une nouvelle génération de politiciens pour donner un contenu positif à la quête d'autonomie du Québec.

Le Québec opte pour la décentralisation

À partir de 1960, le projet national québécois moderne renoua avec le mouvement vers l'autonomie lancé lors de la Confédération et rompit avec l'idée traditionnelle de la dualité pan-canadienne. Il proposa une nouvelle vision du « pacte entre deux nations », celle d'une égalité entre le Québec et le Canada anglais qui appelle une décentralisation vers son gouvernement de pouvoirs constitutionnels spéciaux.

L'attitude du gouvernement de Jean Lesage à l'égard du dossier constitutionnel allait marquer un changement profond de perception et de stratégie. L'autonomie politique fut présentée non pas comme un moyen de limiter l'influence pernicieuse d'Ottawa, mais plutôt comme un moyen de restauration politique, économique et sociale du « peuple » canadien-français. Le discours autonomiste prenait donc une nouvelle orientation : la nécessité de préserver le caractère traditionnel du Canada français cédait le pas au besoin d'affirmation nationale qui exigeait la défense des pouvoirs confiés au Québec, pouvoirs jugés indispensables à la tâche de modernisation à laquelle s'attelait l'État québécois. Lesage en vint à lier la place du Québec au sein de la fédération au problème de la survivance des Canadiens français. C'est à compter de ce moment qu'il souleva la nécessité de revoir le partage des compétences et d'examiner les rapports entre les deux « groupes ethniques » qui composent le Canada. Au sein de la société québécoise, cette question devint centrale. Pour une bonne partie de la classe politique québécoise, il fallait revoir la question des relations entres les communautés francophone et anglophone.

Cette approche marqua aussi le court passage de Daniel Johnson à la tête du gouvernement de 1966 à 1968. La dualité chère à Johnson était d'abord sociologique (celle d'une communauté humaine manifestant une unité historique, linguistique, religieuse et économique animée d'un vouloir-vivre commun) et ne différait guère en cela de la

FRANÇOIS ROCHER ET MICHEL SARRA-BOURNET

vision mise de l'avant par André Laurendeau. Cette dualité nationale ne dépendait pas de l'origine ethnique des citoyens, mais de leur culture. L'existence d'une nation, selon une évolution normale, devait conduire à la création d'un État national : « la nation, phénomène sociologique, tend à coïncider avec l'État, phénomène politique[2] ». Il s'agit d'une réalité que partagent les membres de la nation canadienne-française et c'est pourquoi ces derniers « cherchent à s'identifier à l'État du Québec, le seul où ils puissent prétendre être maîtres de leur destin et le seul qu'ils puissent utiliser à l'épanouissement complet de leur communauté, tandis que la nation canadienne-anglaise tend de son côté à faire d'Ottawa le centre de sa vie communautaire[3] ». C'est sur cette base que l'Union nationale voulut non pas amender la Constitution mais en réécrire une nouvelle qui s'inspirerait du principe de la dualité et du rôle spécifique que devait jouer le Québec dans l'épanouissement de sa communauté nationale. En somme, la nouvelle constitution devait affirmer le caractère binational du Canada dans ses structures politiques, économiques et sociales.

Lors des États généraux du Canada français à la fin des années 1960, ce virage des nationalistes québécois en faveur d'un statut particulier pour le Québec provoqua une rupture avec les élites francophones du Canada anglais. Ces dernières se rallièrent ensuite à la nouvelle doctrine de la dualité linguistique proposée par Trudeau.

2. Daniel Johnson, *Égalité ou indépendance*, Montréal, Éditions de l'homme, 1965, p. 23.
3. *Ibid.*, p. 24.

51

Le bilinguisme de Trudeau : tactique ou panacée ?

Pour plusieurs, Trudeau a simplement voulu couper l'herbe sous le pied des nationalistes québécois en proposant sa politique de bilinguisme. Pour d'autres, la Loi des langues officielles dans les institutions fédérales, adoptée en 1969, ressuscitait l'idée d'une dualité fondée sur la langue. En préférant la dualité Canadiens français/Canadiens anglais à la dualité Québec/Canada anglais, le projet de Trudeau renvoyait à « l'égalité des deux races » du début du siècle. Au Canada anglais, on accepta le bilinguisme avec réticence, pensant que c'était la réponse adéquate et définitive au « What does Quebec want ? » et que cela réglerait la question du Québec.

En effet, les francophones pourraient dorénavant s'adresser en français au gouvernement canadien et auraient enfin accès aux emplois dans la fonction publique fédérale. Mais après plus de vingt-cinq ans, force est de constater que la langue du gouvernement central demeure essentiellement l'anglais, excepté au niveau de certains services au public. Cette politique de services dans la langue officielle masque la domination de l'anglais dans les institutions communes : des milliers de francophones ont bel et bien trouvé du travail dans la fonction publique canadienne, mais là ou les anglophones sont majoritaires, soit dans la région d'Ottawa-Hull et dans les provinces anglaises du Canada, les fonctionnaires fédéraux travaillent en anglais. En définitive, la fonction publique fédérale est un foyer d'assimilation.

Si tant est qu'elle visait la promotion du français, la politique fédérale des langues officielles a eu un succès fort mitigé — les statistiques sur l'assimilation des francophones à l'extérieur du Québec sont là pour le prouver. Paradoxalement, cette politique a, depuis, été remise en question par les Canadiens anglais. Ils y voient le symbole des privilèges accordés à la minorité francophone.

L'un des objectifs du rapatriement de la Constitution en 1982 était de forcer le Québec à revoir les aménagements linguistiques issus de la Charte de la langue française qui faisait du français la langue officielle du Québec. Les pressions d'anglophones québécois contestant la loi 101 adoptée en 1977 et la vision particulière des droits linguistiques promue par le gouvernement fédéral ont motivé cette approche. La politique fédérale a renforcé la promotion du statut de l'anglais au Québec, substituant à la promotion du français le principe de la protection des « minorités linguistiques » au niveau de chaque province. Cette symétrie de statut des langues était, et est toujours, loin de refléter la réalité démolinguistique du français et de l'anglais au Canada.

Il va sans dire que cette orientation fut contestée au Québec. En plus de ramener celui-ci au rang de province comme les autres, cette politique faisait oublier la condition du français au Canada en général, en détournant l'attention vers de soi-disant violations des droits des anglophones au Québec. Pendant ce temps, les provinces anglaises résistaient aux jugements des tribunaux et ne cédaient des droits scolaires aux francophones qu'en échange de la promesse de millions de dollars d'aide d'Ottawa.

Ainsi, à la notable exception du Nouveau-Brunswick, le Canada anglais a résisté à la dualité linguistique introduite par Trudeau, que ce soit sous la forme du bilinguisme au sein des institutions fédérales ou de celle de la promotion du français dans les écoles de juridiction provinciale. En même temps, on demandait au Québec de demeurer un territoire canadien bilingue où la communauté anglophone ne devait subir aucune entrave. On ne pourrait trouver meilleur exemple de deux poids, deux mesures. Ce n'est certainement pas cela qu'on entend par l'expression de « statut particulier du Québec ».

La reconnaissance de la spécificité du Québec

Le postulat de base des revendications constitutionnelles du Québec depuis 1960 — qu'elles soient autonomistes ou souverainistes — est l'égalité entre le Québec et le Canada anglais. Il reflète l'existence de deux sociétés qui, pour reprendre la vision d'André Laurendeau, disposent de populations importantes et géographiquement concentrées, de réseaux institutionnels éducatifs, économiques, politiques et juridiques. Après le rapatriement de la Constitution orchestré par Trudeau en 1981-1982, et dans lequel on avait ignoré le nouveau partage des pouvoirs réclamé par le Québec, ce dernier a continué à revendiquer la reconnaissance constitutionnelle de son caractère distinct.

Mais cette nouvelle expression de l'idée de dualité Québec/Canada a rencontré la résistance de la population canadienne-anglaise en général. L'échec des accords de Meech et de Charlottetown est en bonne part attribuable au rejet des dispositions se rapportant à la reconnaissance du Québec comme société distincte, en dépit de toutes les précautions qui auraient entouré son inscription dans la constitution et qui l'auraient vidé de son contenu. Plus important encore, ce double échec des négociations constitutionnelles est venu confirmer l'attachement des Canadiens des autres provinces au principe fondamental de la symétrie de statut entre les provinces et le rejet de la reconnaissance du Québec comme foyer principal d'une culture de tradition française devant disposer des moyens nécessaires à son épanouissement.

C'est cette lecture de la réalité canadienne que faisait le rapport de la Commission sur l'avenir du Québec, mieux connu sous le nom de ses coprésidents, Michel Bélanger et Robert Campeau. Le Rapport Bélanger-Campeau retraçait les étapes de l'évolution du débat constitutionnel canadien. Il a souligné les conséquences pour le Québec de la Loi constitutionnelle de 1982 qui a contribué à renforcer certaines visions politiques de la fédération difficilement conciliables avec la reconnaissance effective et l'expression politique de l'identité distincte du Québec. Trois dimensions de la nouvelle identité politique canadienne rendent difficile l'accroissement des pouvoirs législatifs du Québec : l'égalité de tous les citoyens qui n'admet pas de reconnaissance constitutionnelle particulière de la collectivité québécoise ; l'égalité des cultures et des origines culturelles au Canada qui a banalisé la langue française et les origines culturelles francophones ; l'égalité des dix provinces canadiennes qui empêche le Québec de se voir reconnaître un statut particulier. Or les voies que peut emprunter le Québec pour briser l'impasse se limitent à deux : un fédéralisme renouvelé qui accepterait de redéfinir le statut du Québec, ou l'accession à la pleine souveraineté politique avec une ouverture à l'établissement de liens économiques avec le Canada.

Le renouvellement du fédéralisme est maintenant dans une impasse suite au cuisant échec subi par l'entente de Charlottetown.

La solution ultime : l'égalité nationale

Colonie de la France, conquête de l'Angleterre et province du Canada, le Québec n'a jamais connu l'égalité nationale. Privé de la souveraineté politique, il ne peut entretenir de relations diplomatiques avec les autres États sur la scène internationale sans violer les conventions. La souveraineté est l'ultime moyen de rendre égales des nations inégales.

Au cours du Régime canadien inauguré en 1867, les Québécois se sont battus pour l'égalité avec le Canada anglais, que ce soit à travers les revendications pour l'égalité des langues française et anglaise, la décentralisation des pouvoirs ou la reconnaissance de sa spécificité. Dans l'éventualité du maintien du Québec dans la fédération canadienne, l'objectif d'égalité avec l'ensemble de la société canadienne-anglaise risque de devenir irréalisable. Au contraire, le Québec aura à vivre sous les pressions uniformisantes du gouvernement fédéral et sous celles des autres provinces qui insistent pour ne pas rompre avec le nouveau dogme de l'égalité entre les dix provinces canadiennes.

Puisque le Québec n'aura pas atteint l'égalité politique avec le Canada anglais au sein du régime canadien, les Québécois n'auront d'autre choix, s'ils n'accèdent pas à la souveraineté, que de se rallier au nationalisme politique canadien ou de régresser vers une forme de nationalisme ethnique compatible avec la doctrine du multiculturalisme.

★ ★ ★

Après que les Régimes français, anglais et canadien les eurent laissés colonisés, conquis et minorisés, les Québécois n'ont d'autre choix que d'opter pour la souveraineté du Québec s'il désirent la véritable égalité. La libération nationale du Québec est l'affaire de tous ceux et celles qui y ont élu domicile. Peu importe leur origine et celle de leurs ancêtres, ils sont héritiers et partie prenante de l'histoire du Québec. Pour les Québécois, le référendum sur la souve-

raineté du Québec est non seulement une occasion excep-
tionnelle de se prononcer eux-mêmes sur leur régime politique, mais aussi d'entrer dans une nouvelle phase de leur
histoire, celle qui permettra au Québec d'accéder à l'égalité
nationale, le « Régime québécois ».

LE RAPPORT CONFÉDÉRATIF QUÉBEC-CANADA À LA LUMIÈRE DE LA PHILOSOPHIE DE SPINOZA

Lucien-Pierre Bouchard* et Roch Bouchard**

Dans ce mouvement mondial des sociétés politiques, où le secrétaire général de l'ONU voit que des peuples se donnent des pays, et des pays des confédérations[1], est-ce que Spinoza, l'initiateur du concept moderne de démocratie, peut nous dire encore quelque chose ? Plus spécifiquement, et par exemple, de quelle lumière serait-il pour la relation si longuement problématique du Québec et du Canada ?

Nous rappelons qu'il faut reconnaître en Spinoza le premier penseur de la démocratie moderne parce que, le premier, il fonda le pouvoir public sur la totalité des pouvoirs individuels, dans leur sens le plus radical et le plus

---

* Doctorant en sociologie politique, École des Hautes Études en Sciences sociales (Paris).
** Département de philosophie, Université d'Ottawa.
1. BoutrosBoutros-Ghali, « Unies mais souveraines », *Le Devoir*, 27 mai 1992, p. B-8.

universellement humain. C'est-à-dire qu'il donna pour condition suffisante à la pleine participation aux affaires de l'État le simple fait d'en habiter le sol :

> Tous ceux, en effet, qui sont nés de parents jouissant des droits civiques, ou sur le territoire national, ou ont bien mérité de la République, ou pour d'autres raisons encore possèdent légalement le droit de Cité ; tous je le répète ont le droit de suffrage et accès aux fonctions publiques ; ils sont fondés à les réclamer et on ne peut les leur dénier sinon parce qu'il se sont rendus coupables d'un crime ou sont notés d'infamie[2].

Tandis que dans le modèle grec, et malgré la générosité de certaines intuitions, chez Thucydide notamment (« Notre constitution s'appelle une démocratie parce qu'elle repose entre les mains non pas d'une élite, mais du peuple.»), la dignité de peuple n'était généralement pas reconnue hors des sociétés hellènes, et même dans celles-ci, cette qualité était variable, et analogique en quelque sorte à l'idée de *Grec*, si bien qu'un Athénien sur vingt, environ, jouissait pleinement des attributs de la citoyenneté et que le pouvoir public se trouvait être la chose d'une collégialité hermétique d'aristocrates.

On sait aussi que Spinoza fut l'ami et l'inspirateur de Jan de Witt, le premier homme d'État à faire fonctionner, bien que plus modestement qu'aujourd'hui, notre idée de la démocratie. Cela se passa au Pays-Bas, dits les Provinces-Unies, de 1667 à 1672, jusqu'à ce que de Witt et ses frères fussent massacrés par la foule, dont le ralliement à la monarchie d'Orange s'accroissait de la rage éprouvée contre

---

2. Spinoza, *Traité politique (T.P.)*, trad. Charles Appuhn, *Œuvres*, Paris, Garnier-Flammarion, 1965, 4 Tomes, T. 4, XI 1.

le parti gouvernemental, taxé de complaisance à l'envahisseur français.

Or quel pourrait être l'avis de Spinoza sur la « question nationale » québécoise, clef de voûte de ce qu'on appelle au Canada le « problème constitutionnel », lequel obnubile pratiquement tout l'imaginaire politique du citoyen canadien depuis au moins deux décennies ?

Nous croyons que chez Spinoza, l'affirmation même de la démocratie, en une démarche qui plus ou moins se confond avec une généalogie de la société politique, contient entre autres enseignements des indications précises pour le conflit aujourd'hui aperçu au Québec entre les droits collectifs et les droits individuels, en matière linguistique particulièrement ; qu'aussi elle nous assure que les habitants du Québec constituent en droit un peuple souverain, et encore, que cette souveraineté, libérale, est d'autant plus à exercer qu'elle convient avec l'idée fondatrice de la confédération canadienne, confédération qu'elle libérerait enfin du malentendu qui l'entrave.

Résumons la pensée de Spinoza sur le souverainisme et le confédéralisme[3] :

1. Un peuple est souverain, parce qu'il détient depuis la racine des individualités qui le composent le droit de se gouverner.
2. Ce droit est plus avantageusement exercé par son titulaire naturel.
3. La souveraineté des peuples appelle les associations confédératives.

---

3. Faute d'espace, la description complète de la pensée de Spinoza sur ces sujets n'a pu être reproduite en ces pages. Elle sera reprise ailleurs par les auteurs. M. S.-B.

4. La souveraineté du peuple est la condition de possibilité de la souveraineté des gens, les liberté collectives étant la libération même des libertés individuelles[4].

Considérons à présent la problématique constitutionnelle canadienne et québécoise. Premièrement, il faut admettre l'évidence que les Québécois forment un peuple, au sens politique du terme. Ils satisfont à tous les critères posés par la charte des Nations Unies[5]. Sans doute les Acadiens en sont-ils un aussi et, pour les autres minorités francophones du Canada, peut-être faut-il parler, quoiqu'en un sens particulier, de groupes linguistiques. Mais certainement les Québécois sont un peuple, avec tous leurs habitants, quelles qu'en soient la langue, la race ou l'origine ethnique. C'est un peuple

---

4. Par exemple, c'est comme participant des libertés collectives néerlandaises que Spinoza, Juif persécuté des Juifs, a pu quand même donner son œuvre et que pareillement Descartes avait donné la sienne. C'est par l'appartenance française, américaine, canadienne ou québécoise que telle immigrante du Tiers-Monde se voit épargnée l'appartenance à un harem, ou encore la clitoridectomie, ou qu'elle peut choisir son mari et prendre part à la vie publique. Il peut certes arriver que les libertés collectives contredisent les libertés individuelles ; alors c'est la majorité souveraine elle-même, toujours minoritaire elle aussi dans le détail de ses composants, qui aliénera, et pour son intérêt et pour l'exigence de justice qui confronte ses élus, une partie de sa puissance au profit des intérêts dont la masse numérique est insuffisante. Une charte des minorités devient réellement possible par le vouloir d'une majorité, conformément aux principes de Spinoza, pour qui la liberté individuelle prime en effet sur la liberté collective, puisqu'elle en fonde la vérité, mais la liberté collective prime à sa façon sur la liberté individuelle, puisqu'elle en fonde la réalité.

5. Voir Jacques Brossard, *L'accession à la souveraineté et le cas du Québec*, Montréal, Presses de l'Université de Montréal, 1976 ; aussi, *Commission sur l'avenir constitutionnel du Québec* (Bélanger-Campeau), *Document de travail numéro 2*, p. 86-87.

d'abord en lui-même, comme société politiquement constituée, et plus largement aussi comme foyer national de tous
les francophones canadiens qui prennent encore part au
vouloir-vivre collectif de l'ancien peuple « canadien »[6]. Nous
laissons toutefois ouverte la difficile question des autochtones, encore qu'elle concerne au moins toute l'Amérique
du Nord aussi bien, et sans que pourtant soit mise en
doute l'authenticité des peuples américains, mexicains et
canadiens-anglais. Les Québécois ont existé nationalement
avant 1867, avant 1760, et les conquérants anglais recon-
naissaient déjà en eux un « peuple distinct », le peuple
« canadien »[7].

Il est évident que le contenu a évolué, s'est renouvelé
avec l'histoire, avec l'apport grandissant de l'immigration et
par d'autres fluctuations démographiques. N'empêche que
les nouveaux Québécois sont entrés *de facto* dans le vouloir-
vivre collectif québécois, dans l'appartenance nationale québécoise, aussi vrai que chaque citoyen signe le contrat
social. De Valleyfield à Tadoussac, les affluents ont renouvelé et augmenté l'eau du Saint-Laurent, qui pourtant reste
le même fleuve.

Disons de même que le Québec est une nation, mais en
libérant ce mot du sens étroitement biologique (nation,
nasci : naître), grossièrement anachronique où tels le veulent

---

6. Avant la Conquête et jusqu'à la fin du 19e siècle, le vocable « canadien »
ne renvoyait qu'aux habitants francophones de l'Amérique du Nord
britannique.
7. En 1774 déjà, Sir John Cavendish s'opposait à l'Acte de Québec en
déclarant au Parlement britannique : « Je croirais essentiel de ne pas
rendre aux Canadiens leurs lois ; elles maintiendront leur perpétuel
recours à ces lois et coutumes qui continueront à faire d'eux un *peuple
distinct* » (Cité par André Burelle, « Les contrevérités de Pierre Elliott
Trudeau », *Le Devoir*, Montréal, 1-2 mai 1993, p. A-13).

encore enfermé, et en l'entendant comme synonyme de peuple propriétaire de la souveraineté, sujet de droit, et naturellement de la personnalité internationale[8]. Ce qui nous amène à parler de nationalisme. Il y en a de toutes sortes, c'est connu. Les nationalismes turc et arménien étaient certainement deux choses ; également celui des Nazis et celui des Finlandais. Le nationalisme nippon n'est pas le nationalisme hollandais, et celui de Lionel Groulx n'est pas celui de Lucien Bouchard. On prévoira donc que la diversité occasionne des méprises, parfois surprenante[9].

Il est tout simplement faux de croire, écrit Boyd Shafer :

> que lorsqu'on a étudié le nationalisme à une époque, dans un lieu précis, on a étudié les nationalismes de toutes les époques, à tous les endroits. [...] Le nationalisme est ce que les nationalistes en ont fait[10].

---

8. Voir *Encyclopædia Universalis*, vol. II, article « nation ».

9. « Le Peuple québécois se donnera un pays dynamique, pluraliste et ouvert sur le monde. Il constituera une société française en Amérique, respectueuse des droits de la minorité anglophone et des Nations autochtones et attentive à l'apport unique des communautés ethno-culturelles » (Bloc québécois, « Rompre en douceur avec le Canada », *Le Devoir*, le 18 juin 1991, p. B-8). À mettre en regard de : « Jacques Parizeau [...] et Lucien Bouchard [...] se réclament tous deux d'un nationalisme de bon aloi. Il s'agit d'une forme classique de démagogie qui n'est pas différente de celle d'Hitler. [...] Il n'existe aucun regroupement de patriotes au Québec enclin à défendre les concepts de liberté, égalité et paternité [sic] » (Firme Lafferty, Harwood, cité dans : « Le show time des médias », in *Le Devoir*, le 19 février 1993, p. A-9). Ces deux textes sont rapportés par Michel Sarra-Bournet, « La fin du nationalisme ethnique au Québec », *Bulletin de l'Association québécoise d'histoire politique*, vol. 2, n° 3 (hiver 1994) p. 11, 12.

10. Boyd Shafer, *Faces of Nationalism ; New Realities, Old Myths*, New York, Harcourt / Brace / Jovanivitch, 1974, p. 3. Traduit et cité par Michel Sarra-Bournet, *op. cit.*, p. 11.

Il y en a des dominateurs, des discriminateurs, des réducteurs. Il y en a des libérateurs, des intégrateurs, des affirmatifs. Nous pensons constater que le nationalisme québécois d'aujourd'hui, malgré ses calomniateurs, s'impose de plus en plus manifestement comme de cette dernière catégorie : il consiste à revendiquer, pour l'ensemble territorial québécois, la reconnaissance et les attributs de la souveraineté comme société francophone. La langue française, en effet, s'y trouve être depuis 1608 principe d'appartenance et d'intégration, en même temps que facteur dominant de civilité et de culture, bref, valeur constituante de l'esprit collectif.

Ce nationalisme promoteur d'une nation moderne est naturellement pluraliste, généreux pour ses minorités culturelles, particulièrement l'anglophone, qui pour de très fortes raisons doit bénéficier d'un statut privilégié. Il n'est pas besoin de dire que ce nationalisme est ouvert sur le monde, vu que précisément il aspire à la personnalité internationale.

On se rappelle ce que Spinoza, démocrate, libéral, disait de l'amour de la patrie comme ferment civilisateur, comme incitation à l'excellence individuelle et collective. On peut aussi se reporter à l'avis de la très sociologique *Encyclopædia Universalis*, qui souligne « le rôle intégrateur de l'idée nationale », dont « toute l'histoire témoigne de la fécondité », puisque « l'idée nationale est le plus sûr élément du consensus ». Elle observe que « l'idée de nation s'enracine dans des différences », que la « nation doit, sous peine de disparaître, parfaire sans cesse l'image qu'elle donne d'elle-même ».

Et s'il est vrai, reconnaît-elle, que la nation s'affirme avec d'autant plus d'intransigeance que ses assises concrètes sont plus faibles, n'est-ce pas parce que l'idée nationale engendre

65

entre les humains une solidarité qui efface les oppositions que provoquerait leur statut social[11] ?

Ce qui n'est pas dire que le réflexe national soit le repli, pas plus que la conquête ; nous citons encore :

Sans doute le souvenir des épreuves communes, les traditions, la conscience d'une originalité historique font la nation : mais si les membres du groupe y sont attachés, c'est moins parce que ces croyances représentent du passé que parce qu'elles préfigurent de l'avenir[12].

Donc le trait dominant du nationalisme québécois, c'est aujourd'hui la volonté d'assumer le statut de nation moderne, en l'occurrence la souveraineté d'un peuple francophone et pluraliste. Le souverainisme est historiquement le visage actuel du nationalisme québécois.

La défiguration du nationalisme en tribalisme se relie à celle du souverainisme en séparatisme. Nous avons vu que le vrai premier penseur de la souveraineté des peuples concevait celle-ci comme une étape nécessaire vers la confédération avec d'autres peuples, et nous savons que dans le monde les choses tendent de plus en plus à se passer ainsi : formations, puis confédérations de pays.

D'aucuns signaleront bien sûr la résurgence actuelle des nationalismes séparatisants à travers le monde, mais il ne faut pas oublier que beaucoup de ces collectivités retournent de la seconde étape à la première, à notre sens parce que celle-ci, l'étape de l'assomption politique de son identité nationale, a été court-circuitée. Comme a dit Perez de Cuellar : « L'époque actuelle étant marquée par les tendances opposées de la fusion et de la fission, il nous faut

---

11. *Encyclopædia Universalis*, Tome II, article « nation », p. 565.
12. *Ibidem*.

constamment revenir aux principes de base, tels que le respect de l'intégrité territoriale et de l'indépendance des États[13]. » C'est pourquoi Boutros-Ghali n'hésite pas à affirmer que

> [...] l'opposition du nationalisme et de la mondialisation est en grande partie fausse, [que] ces deux mouvements s'entretiennent l'un l'autre [...] qu'une saine mondialisation de la vie moderne suppose d'abord des identités solides [...], [et] que la mondialisation va de pair avec une multiplication rapide des nationalismes, voire des micro-nationalismes[14].

Il faut donc voir l'établissement des identités nationales comme le prologue, plutôt que l'empêchement, à la formation des ensembles confédératifs.

Ensuite, comment ne pas voir que le Canada (avec le nombre de provinces que l'Histoire retiendra ou ajoutera) est le pays avec lequel le Québec doit s'associer ? Aux raisons historiques, géographiques, économiques, s'ajoute rien moins, chez un grand nombre de Québécois, y compris « de souche », un réel sentiment d'appartenance au Canada. À l'étranger, les Québécois sont en général fiers d'être Canadiens, à défaut, bien sûr, que soit suffisamment connue la nationalité québécoise, laquelle contient assez ce qu'il y a d'honorable dans l'essence canadienne.

En fait, les Québécois voudraient bien être effectivement un peuple, mais ils feraient mal leur deuil de leur canadienneté. Beaucoup s'y refuseraient même. Nous croyons que les « fédéralistes » résolus, partisans du *statu quo*, ne sont pas moins nombreux que les « séparatistes » purs, lesquels pourraient coiffer bientôt le béret blanc de

---

13. Cité par B. Boutros-Ghali, *op. cit.*
14. *Ibidem.*

l'indépendance. Il y a lieu, ce nous semble, d'apercevoir chez les Québécois un sentiment d'appartenance « co-nationale » au Canada.

Mais bien entendu, cette confédération souhaitable serait elle aussi quelque chose de moderne, c'est-à-dire qu'elle réunirait des États souverains, en quoi d'ailleurs elle concrétiserait les vues de trois commissions d'enquête gouvernementales (Tremblay, Laurendeau-Dunton, Pépin-Robarts), pour qui le pacte fondateur de la confédération canadienne, avant celui entre quatre provinces, et plus, engage deux collectivités, sociétés, peuples, ou nations, en tout cas *deux* contractants dont l'un représenté aujourd'hui par le Québec.

Dans cette vraie confédération (aussi *fédérées* que demeureraient ou deviendraient les autres provinces canadiennes) il serait convenu que les pouvoirs confédéraux, ceux qui auraient autorité sur le Québec, seraient des pouvoirs *délégués* par celui-ci, naturel détenteur de la souveraineté.

Cette confédération pourrait être remarquablement souple, intégrée, « état-de-société », où les institutions communes abondent déjà, et où la bonne volonté permettrait une articulation fort civile des souverainetés en matière diplomatique, monétaire, etc. Ottawa, par exemple, lieu de cette association, aurait aussi bien comme vocation de présenter au monde un modèle et un symbole de cité confédérale.

Cette confédération servirait autant le Canada, sinon plus, que le Québec, car il n'est pas besoin de démontrer que la « séparation », épreuve pour le Québec, serait catastrophe pour le Canada. Il sera bien plus commode à celui-ci de reconnaître au Québec un *statut national* dans la constitution nouvelle, ce qui, on l'imagine, se fera moins de bonne grâce que par une déclaration québécoise de souveraineté. Il paraît raisonnable d'espérer que la nécessité se chargera ensuite de faire entendre la raison, et advenir finalement et enfin la *Confédération canadienne et québécoise*, confédération libre, celle-là, des chevauchements, enchevêtrements et inhibitions de pouvoirs, gouffres de gaspillages et d'inefficacité, et évidemment pour une part dans le déclin relatif du Canada, pays extraordinairement chargé de chômage et d'impôts, objet d'inquiétude pour le FMI (Fonds monétaire international), devenu moins productif que l'Espagne, et bon an mal an contraint de s'endetter encore à l'étranger pour payer l'intérêt de ses dettes à l'étranger. On ne peut plus nier que le Canada, déjà tellement hypothéqué, est malade aussi de sa structure constitutionnelle.

Un dernier mot sur ce conflit des liberté individuelles et des liberté collectives que l'on a vu rédhibitoire pour les accords constitutionnels de Meech, de Charlottetown, pour la loi 101, et même pour l'officialisation du français au Nouveau-Brunswick. Il nous paraît qu'on a exagérément opposé ces deux catégories de droits, et surtout qu'on a beaucoup simplifié la « primauté » des droits individuels sur les droits collectifs. Souvenons-nous que pour Spinoza, comme d'ailleurs pour l'ensemble des théoriciens de la démocratie libérale, les droits collectifs tiennent leur vérité des droits individuels, qui à leur tour reçoivent de la collectivisation des droits le moyen de leur exercice et de leur accroissement. En ce sens, c'est-à-dire en général et en principe, il y a bien priorité des droits individuels.

Plus particulièrement, on se rappellera aussi que la renonciation des individus à leurs droits individuels n'est pas totale et qu'il reste un certain nombre de droits ou libertés, dits inaliénables au sens où, bien que garantis par le corps politique, ils ne procèdent pas de l'appartenance à celui-ci, parce qu'ils n'ont pas transité par lui. Ils sont pour ainsi dire des droits autonomes, des droits en soi et par soi. Ces droits irréductiblement individuels, restés purs « droits de nature », qui donc ne sont pas médiatisés par la volonté générale, ont priorité sur les « droits civils ». Tels sont les « droits de la personne », antérieurs aux droits, contractuels, du citoyen : ils sont les droits proprement individuels, intangibles, parce que toujours originaires, jamais détachés du Droit archo-souverain de Nature.

Donc, universellement, priorité des droits individuels sur les droits collectifs, et en particulier priorité des droits de la personne sur les droits du citoyen. Ceux-ci, obtenus par la dialectique du renoncement à certaines libertés individuelles et de leur renforcement par la volonté générale instituée par ce renoncement, sont plutôt contingents par rapport aux droits de la personne ; ils sont variables selon la diversité des codes juridiques, parce que dépendants de l'appartenance à tel ou tel corps public, de la participation à telle volonté générale, de l'adhésion à tel contenu contractuel.

Par exemple, dans un pays la polygamie, dans cet autre une particularité du droit des affaires, ou un quelconque avantage social, une quelconque permissivité. Ce ne sont pas là à proprement parler des droits de la personne, puisqu'ils procèdent formellement de la volonté générale. Ce sont essentiellement des clauses du contrat social, des droits qu'on tire de son appartenance à un groupe, bref, des droits collectifs. Évidemment, ils sont assujettis aux droits proprement individuels, bien que ceux-ci les fondent primordialement, et aussi les assurent par la convention civilisatrice dont ils participent.

Mais comment ne pas admettre que c'est via l'appartenance, par exemple, au corps canadien que l'on a droit à certains services gouvernementaux bilingues ; via l'appartenance à la Suède celui de s'instruire gratuitement en suédois ; que c'est l'appartenance à la France, au Royaume-Uni, etc. qui permet de circuler sans passeport dans l'Europe confédérée ? Aucun droit naturel, aucun droit de la personne, n'est dichotomique avec ceux-ci, et moins encore conflictuel. Comme l'a écrit André Burelle :

> On n'insistera [...] jamais assez sur la distinction qui s'impose entre les droits de la personne en tant que personne, et les droits qu'un individu tire de son appartenance à une communauté porteuse de droits historiques nés du vouloir-vivre collectif des citoyens et inscrits dans le contrat social et politique d'un pays[16].

C'est au mépris de cette distinction majeure et simple qu'on a pu, ou voulu, voir bafoués les droits de la personne, le principe sacré de l'égalité démocratique, dans l'affirmation du Québec comme société distincte et maîtresse de sa politique linguistique, comme dans la reconnaissance officielle du français au Nouveau-Brunswick. Certes, pour recourir encore à un exemple, le Japonais au Nouveau-Brunswick n'a pas droit à l'école japonaise gratuite et, s'il émigre au Québec, et qu'il veut faire instruire ses enfants aux frais publics, il devra choisir une école francophone. Mais s'en trouvera-t-il pour autant ravalé a une classe inférieure de citoyens[17] ? L'anglophone ou le francophone qué-

---

16. André Burelle, « Les contrevérités de Pierre Elliott Trudeau », *op. cit.*
17. L'obligation de l'école française à l'arrivant allophone découle directement du contrat social québécois puisque la bilinguisation indifférenciée de l'immigration, avec le renversement démo-linguistique qui en résulterait à coup sûr, porterait une trop grave atteinte au vouloir-vivre collectif francophone. Il y a telles limites à la capacité de bilinguisme

bécois prenant passeport japonais se jugera-t-il violé dans un droit de sa personne s'il arrive que l'État nippon ne le serve pas dans une langue officielle du Canada ? S'étonnera-t-on qu'une communauté nationale explicite dans son contrat les conditions mêmes de son épanouissement, pour ne pas dire de sa survie ? Ou faut-il préférer la logique qui a fait voir dans la souveraineté du Québec un crime contre l'histoire de l'humanité[18] ?

Nous concluons en récapitulant simplement les principaux points de la seconde partie de ce travail :

1. Les Québécois forment un peuple, et un peuple légitimement souverain.

2. Cette souveraineté doit être proclamée par le peuple québécois et admise par les partenaires canadiens.

3. Elle sera avantageusement exercée dans une confédération bi-nationale, la *Confédération canadienne et québécoise*.

4. Les droits collectifs ne nient les droits individuels que s'ils contredisent les droits de la personne.

5. L'unilinguisme français au Québec, assorti de la reconnaissance sans équivoque d'un statut officiel et fort pour la minorité anglophone, et d'acceptations généreuses des autres différences ethniques, aussi bien que l'offi-

---

pour une collectivité où l'élément différenciateur, et identificateur, est aussi fragile que dans l'État québécois, bloc erratique parmi l'immensité nord-américaine. (Cf. M. Sarra-Bournet, *op. cit*, p. 13-14 : « Selon le démographe Jacques Henripin, pour que l'intégration des immigrants ait un impact neutre sur l'équilibre linguistique au Québec, il faudrait que la majorité francophone en intègre 85 % plutôt que les 37 % actuels. »)

18. Cf. Discours de P. E. Trudeau au Congrès américain réuni (*Joint Meeting of the House of Representatives and the Senate of the United States*), 22 février 1977. Traduit et publié dans *Le Devoir*, Montréal, 23 février 1977.

cialisation du français au Nouveau-Brunswick, et éventuellement ailleurs au Canada, selon une juste réciprocité avec les conditions de l'anglophonie québécoise, ne représente pas une violation des libertés individuelles, ni du droit de la personne, ni du droit naturel, mais bien plutôt le prolongement et le renforcement.

Car c'est une liberté bien proprement individuelle, naturelle, juridiquement imprenable que de s'associer en peuple, ayant ses valeurs, et de durer et d'évoluer fidèlement à cette entreprise et à ce contrat.

Comme dit sobrement Spinoza : « les hommes ont de l'état civil un appétit *naturel* [19]».

19. *T.P.*, VI 1. Nous soulignons.

LE NATIONALISME QUÉBÉCOIS ET LA QUESTION AUTOCHTONE

*Michel Seymour**

Les Québécois et Québécoises constituent une nation à part entière et le Canada a depuis toujours refusé de leur reconnaître ce statut. La souveraineté est donc la seule solution qui s'offre à eux aujourd'hui. Je voudrais dans les pages qui suivent étayer quelque peu cet argument et caractériser plus précisément le concept de nation qu'il présuppose. Je me propose ensuite d'élargir ma réflexion aux Premières Nations.

Entre la nation civique et la nation ethnique

Certains prétendent que le nationalisme est toujours tribal ou ethnique. Selon ces penseurs, il nous faut choisir entre la nation ethnique et la nation civique, et seule la seconde peut être admise. Mais la vaste majorité des Québécois et Québécoises conçoivent la nation en dehors de cette

---

* Département de philosophie, Université de Montréal.

75

opposition entre le nationalisme ethnique et le nationalisme civique. Ils admettent majoritairement un concept pluraliste et multiethnique de la nation, ce qui les éloigne du nationalisme ethnique, de même qu'ils admettent la possibilité d'un État souverain multinational, ce qui les éloigne aussi d'une conception exclusivement civique de la nation.

Il faut tout d'abord se démarquer du nationalisme ethnique que certains promeuvent encore. Il y a sur le territoire québécois une nation québécoise incluant les francophones, la minorité nationale anglophone et les communautés issues de l'immigration, et il y a aussi des nations autochtones. Qu'il devienne souverain ou non, le Québec est multinational (Québécois et autochtones), comporte plusieurs communautés nationales (la communauté nationale principale franco-québécoise et la minorité nationale anglo-québécoise), et est multiethnique (incluant les néoquébécois issus de l'immigration). Il faut donc résister à une conception ethniciste de la nation québécoise, qui exclurait les communautés anglophone et allophone.

D'autre part, il faut aussi résister à une conception exclusivement civique qui forcerait les autochtones à appartenir à cette « nation ». Si l'on réduisait la nation à la nation civique, on serait dans l'impossibilité de dire que les communautés autochtones sont des nations, que les nations sous domination coloniale sont des nations, et que les Québécois et Québécoises forment une nation. Il faut donc s'opposer à une conception exclusivement civique de la nation si cette notion implique l'idée d'un « État souverain » et si la nationalité est réduite à la citoyenneté. Les nations existent indépendamment du fait d'être souveraines et on peut admettre la possibilité d'États souverains multinationaux : le Canada, la Belgique, l'Espagne et la Suisse sont des États qui, dans les faits, sont multinationaux.

MICHEL SEYMOUR

Il faut s'opposer à une vision de la nation qui ferait de celle-ci une entité culturellement homogène (même histoire, même culture, même langue) ne pouvant pas autoriser des cultures distinctes. Il faut en ce sens reconnaître des droits collectifs spécifiques aux minorités nationales[1]. Le fait que le Québec accède à la souveraineté politique ne signifie donc pas qu'il doive devenir un État unitaire et assimilateur[2].

---

1. On peut définir ces dernières comme des groupes qui ont joué un rôle historique dans la création d'institutions sur le territoire, qui sont le prolongement d'une nation voisine et qui se perçoivent comme appartenant à une autre communauté nationale. Les minorités russes dans les pays baltes, la minorité hongroise en Slovaquie, la minorité arabe en Israël, la communauté franco-canadienne en Ontario et la communauté anglophone au Québec constituent des exemples parmi de nombreux autres de minorités nationales. Les anglophones doivent donc être considérés comme des Québécois à part entière, mais il faut aussi tenir compte du fait qu'ils se conçoivent comme le prolongement d'une nation voisine (la nation « canadienne-anglaise »). Il serait en ce sens essentiel d'insérer dans l'éventuelle constitution du Québec souverain les droits collectifs de la minorité anglophone.

2. Il y a une différence entre les communautés nationales et les communautés immigrantes. Les communautés immigrantes sont celles qui sont récemment arrivées sur le territoire d'une autre nation ou qui, bien qu'elles soient arrivées depuis assez longtemps, ne sont pas le prolongement d'une nation voisine. Les membres de ces communautés ont délibérément renoncé à leur première affiliation nationale. Ils font partie de la nation qui les accueille dès lors qu'ils choisissent de s'installer et de vivre sur son territoire. Ils doivent être intégrés linguistiquement à la communauté majoritaire pour éviter leur ghettoïsation et pour rendre possible un véritable métissage des cultures. Même lorsqu'on favorise une politique de multiculturalisme comme c'est le cas au Canada, et que cela conduit à la création d'institutions propres aux communautés immigrantes, il ne fait pas sens de constitutionnaliser des droits collectifs pour les immigrants. Leurs droits fondamentaux peuvent être adéquatement assurés par une Charte des droits individuels applicable à tous les citoyens. Si une Constitution doit être faite pour durer, il ne faut pas y inclure des dispositions qui risquent de s'avérer temporaires, et les politiques spécifiques à l'égard des immigrants sont de cet ordre.

Une nouvelle définition

Mais quelle est donc cette conception de la nation qui se distingue autant de la nation civique que de la nation ethnique ? Une nation peut apparaître pourvu qu'une communauté linguistique, concentrée en assez grand nombre sur un territoire donné et constituant une majorité sur ce territoire, forme une communauté politique avec des minorités nationales et des minorités ethniques issues de l'immigration. Cette société distincte doit aussi être inscrite dans un réseau spécifique d'influences culturelles, morales et politiques, qui est fonction de sa composition linguistique, de sa position géographique et de son histoire. Il faut aussi qu'une majorité d'individus au sein de cette communauté politique se perçoive comme faisant partie d'une même nation. Il faut ensuite que ce soit sur ce territoire que l'on trouve la plus grande concentration de gens qui parlent la langue de la communauté majoritaire et qui sont livrés au même contexte de choix. La communauté linguistique en question peut, en effet, faire partie d'un groupe linguistiquement homogène et soumis aux mêmes influences qui déborde ce territoire. Mais pour qu'on ait affaire à une nation proprement dite, il faut que ce soit sur ce territoire que l'on trouve le principal échantillon de population inscrit dans un tel réseau d'influences. Il s'agit alors de la communauté nationale principale, et elle forme avec ses minorités une nation à part entière.

Cette définition de la nation fait intervenir la langue comme facteur identitaire fondamental, mais ce critère à lui seul est insuffisant. Divers groupes parlant la même langue peuvent former diverses nations, et des minorités linguistiques peuvent faire partie intégrante d'une nation dans laquelle on trouve une communauté principale parlant une langue différente de la leur. En plus du facteur linguistique, il faut tenir compte du contexte de choix, du réseau des influences agissant sur la nation. Ce réseau prend sa source dans les groupes qui, dans le monde, partagent une même affiliation linguistique, ou qui ont une certaine proximité géographique, ou qui exercent une certaine influence historique. Ces groupes déterminent la nature des forces agissant sur cette société, et l'on peut définir en partie la nation en fonction de ce contexte de choix moral, politique et culturel qui s'offre à elle. Mais la nation est aussi individuée en fonction du territoire, et c'est pourquoi elle se trouve là où se trouve la communauté nationale principale, alors que les communautés nationales moins populeuses qui parlent la même langue et sont inscrites dans un même réseau d'influences, mais à l'extérieur du territoire, ne font pas partie de la nation.

L'argument identitaire

La plupart des Québécois et Québécoises auraient préféré l'option fédéraliste si celle-ci avait pu permettre la reconnaissance du principe des peuples fondateurs et de l'autonomie gouvernementale des peuples autochtones. Mais il apparaît désormais clairement que la vaste majorité des Canadiens n'est pas prête à reconnaître le caractère multinational du Canada (exception faite de la reconnaissance constitutionnelle récente des Premières Nations), tant sur le plan constitutionnel que sur les plans politique ou administratif. Au contraire, ceux-ci ont entériné la vision de Pierre Elliott Trudeau, qui admet l'existence d'une seule nation, et qui promeut le bilinguisme et le multiculturalisme. Cette vision cherche entre autres choses à effacer toutes les traces des peuples fondateurs et à noyer les différences acadienne, québécoise et autochtone dans le grand ensemble canadien. Certains reconnaissent la validité de l'argument que nous venons d'esquisser, mais ils croient que les sondages révèlent le double attachement des Québécois en faveur du Québec et du Canada. Ils estiment que ce fait milite contre la thèse de la souveraineté politique du Québec et pour le maintien du lien fédéral. L'attachement à l'égard du Canada se révélerait notamment dans la volonté d'une majorité de Québécois de maintenir la citoyenneté et un passeport canadiens advenant l'indépendance. Mais cet argument des fédéralistes risque d'être contradictoire, puisqu'il fait intervenir justement l'idée qu'il existe une nation québécoise, alors que dans les faits les Canadiens proposent aujourd'hui au Québec d'adhérer à un État unitaire pancanadien. Il faut dire et répéter que le double attachement des Québécois est le point de départ de notre argument : ceux-ci auraient préféré pouvoir fonctionner à l'intérieur d'un État multinational. Mais le problème est que le Canada anglais ne veut rien entendre à cet égard, et nous demande dans les faits d'abdiquer notre affiliation nationale. Voilà pourquoi nous sommes dans l'obligation d'exercer notre droit à la souveraineté.

D'autres reconnaissent aussi la validité de notre argument, mais ils estiment que le refus de reconnaissance de la nation québécoise au sein du Canada ne constitue qu'un paramètre parmi d'autres permettant d'évaluer les mérites de la fédération canadienne. Et ils vont même jusqu'à le réduire au fait d'inclure ou non une clause à cet effet dans la Constitution. Mais il ne faut pas réduire le différend constitutionnel à la simple question de savoir si telle ou telle clause doit ou ne doit pas être enchâssée. Le désaccord constitutionnel révèle en fait une exclusion beaucoup plus profonde : de plus en plus, les Canadiens refusent d'accorder au Québec des arrangements administratifs, un statut particulier, une décentralisation accrue, l'abolition de normes « nationales », le statut de société distincte ou une limitation du pouvoir de dépenser du fédéral. Le différend constitutionnel est à la source d'un très grand nombre de problèmes fondamentaux qui rendent impraticable le système fédéral tel qu'il est. La question nationale n'est pas qu'un paramètre parmi d'autres. Elle s'immisce dans tous les recoins de la vie politique, économique et culturelle. La souveraineté du Québec entraînerait un grand déblocage sur le plan constitutionnel et permettrait de contribuer au moins en partie à la résolution de plusieurs problèmes concrets auxquels nous sommes confrontés.

Les Premières Nations

Le concept de nation que nous venons de définir, et qui nous a permis de conclure que le Québec était une nation, n'entre-t-il pas en conflit avec le concept de nation qui s'applique aux autochtones ? Dans notre caractérisation de la nation, nous avons imposé un certain nombre de contraintes pour qu'un groupe linguistique donné puisse former avec d'autres groupes une nation à part entière. Nous avons vu que pour constituer une société distincte, il faut qu'existe sur un territoire donné un regroupement linguistique d'individus qui est livré à un ensemble spécifique d'influences culturelles, morales et politiques[3].

---

3. Il n'est pas nécessaire que la langue parlée sur ce territoire soit elle aussi distincte. La langue est un facteur identitaire important parce qu'elle contribue à raffermir les liens entre les membres de la société,

Nous avons aussi précisé qu'il devait exister une communauté linguistique concentrée « en assez grand nombre » sur un territoire donné et formant une majorité sur ce même territoire. Est-ce à dire que les groupes autochtones ne forment pas des nations proprement dite parce que dans certains cas leurs membres ne sont pas en nombre suffisant ? Il y a onze communautés autochtones sur le territoire québécois formant au total une population de 67 272 personnes. Les plus populeuses dépassent à peine les 10 000 habitants alors que les moins populeuses n'en comprennent que quelques centaines. Que faut-il penser de ce fait ? N'existe-t-il pas de très petites nations ? La principauté de Monaco a une population d'environ 25 000 personnes. Elle est un État souverain bien qu'elle soit sous protectorat français. Le Luxembourg a une population de 400 000 habitants. Voilà des exemples de très petites nations. Mais nous avons affaire ici à des cas plus controversés. Quelle réplique pouvons-nous formuler à l'endroit de ceux qui prétendent que ces groupes sont trop petits pour constituer des nations ?

En premier lieu, on ne doit pas ignorer l'histoire. Le poids des groupes autochtones a diminué au moins en partie suite à l'envahissement blanc. Il faut comprendre ensuite la raison qui nous pousse à parler d'une communauté qui devrait être « en assez grand nombre » : il s'agit d'un critère qui va en général de pair avec celui de constituer un groupe inscrit dans un contexte de choix spécifique et celui de se percevoir comme nation. D'une

---

mais elle n'est pas le seul facteur. Les communautés autochtones peuvent donc constituer des nations à part entière même lorsque la langue autochtone n'est presque plus parlée dans la communauté et que la majorité parle français ou anglais.

manière générale, quand la population est en très petit nombre, elle perd ses traits caractéristisques et se laisse assimiler à la majorité. C'est pour cette raison que nous avons imposé une condition quantitative. Mais il nous faut pondérer les différentes composantes dans notre définition de la nation. Il a été stipulé que la communauté linguistique doit être inscrite dans un certain contexte de choix et se percevoir comme nation. Or presque tous les groupes autochtones sont dans cette situation. Leurs populations ont été avec le temps considérablement réduites, mais celles qui restent forment dans tous les cas des groupes qui sont encore inscrits dans des réseaux d'influences spécifiques et qui se perçoivent comme formant des nations. Ces critères doivent l'emporter sur celui d'être une communauté concentrée en assez grand nombre, et c'est pourquoi notre définition doit inclure les communautés autochtones parmi les nations.

Il existe cependant une autre raison pour mettre en doute notre affirmation à l'effet que les 11 communautés autochtones vivant au Québec constituent des nations à part entière. Nous avons bien laissé entendre que la nation se trouvait sur le territoire où se trouve le plus important échantillon de population parlant une certaine langue et livré à un même contexte de choix. Selon ce critère, il semble que les communautés mohawk, micmac, inuit et cri ne puissent pas compter comme des nations sur le territoire du Québec, car les plus importants échantillons de ces groupes se trouvent à l'extérieur du territoire. On aurait affaire dans le meilleur des cas à des minorités nationales. Mais cette objection n'est fondée que si les seules délimitations territoriales valables sont celles qui découlent de la division du territoire canadien en provinces. Or précisément, les communautés autochtones ne fonctionnent pas à partir d'une même conception des délimitations territoriales.

Quelle que soit la portée que l'on veuille accorder à la notion de droit ancestral, on doit supposer que cela implique au moins un droit d'occupation du territoire qui n'a rien à voir avec celui qui correspond aux territoires provinciaux tels qu'on les connaît. Même si le droit ancestral n'implique pas une propriété privée du territoire ou un droit de revente, mais seulement un droit d'accès à des territoires traditionnellement occupés par les autochtones, on peut prétendre que ce sont ces limites territoriales qui doivent prévaloir pour déterminer où se situe telle ou telle nation autochtone. De cette manière, les délimitations provinciales ne doivent pas être le seul point de référence à partir duquel on doit déterminer le lieu d'occupation de la nation. Pour parler des nations autochtones, il faut donc faire référence à un autre ordre juridique, celui du droit ancestral, qui peut nous aider à fixer des limites territoriales même si elles n'ont rien à voir avec la propriété privée. On peut alors, en accord parfait avec la définition proposée, reconnaître l'existence de nations cri, inuit, mohawk et micmac sur le territoire québécois même si les plus importants échantillons de ces populations se trouvent principalement situés à l'extérieur du territoire québécois. J'en conclus que les 11 communautés autochtones vivant sur le territoire québécois sont des nations à part entière. Elles ne sont pas toutes principalement situées sur le territoire québécois, mais pour les traiter toutes comme des nations, il suffit de faire appel à un autre régime de délimitations territoriales qui n'entre pas nécessairement en conflit avec celui des 10 provinces canadiennes.

Il nous reste à discuter d'un dernier point de friction possible entre le concept de nation que nous avons introduit et celui qui est parfois véhiculé en rapport avec les communautés autochtones. Certains font valoir l'idée que la nation autochtone a un caractère ethnique. Cela se révèlerait dans la notion du droit « inhérent » à l'autonomie gouvernementale, ou dans l'idée que les nations autochtones ne peuvent pas inclure des minorités blanches. À ce sujet, il faut répondre que ces communautés sont de plus en plus ouvertes à l'idée d'inclure des minorités blanches au sein de la nation. C'est notamment le cas de la nation inuit. Il faut dire aussi que, selon notre définition, la nation *peut* inclure des minorités nationales et des communautés issues de l'immigration, mais elle ne cesse pas d'être une nation du seul fait de ne pas inclure dans les faits de tels groupes. Cela dit, il est vrai que la plupart des groupes autochtones contiennent des minorités blanches sur leurs territoires, ne serait-ce que suite à des mariages interraciaux, et il serait futile, voire dangereux, d'exclure, par exemple, les femmes d'autochtones de leur communauté d'appartenance. Nous croyons qu'une évolution semblable à celle du peuple québécois s'effectue au sein des nations autochtones. Le nationalisme québécois a cessé d'être un nationalisme canadien-français et est devenu à proprement parler québécois il y a une trentaine d'années. Les Québécois sont alors progressivement passés d'un nationalisme ethnique à un nationalisme moderne, pluriculturel et multiethnique. Ils ont cessé de se concevoir comme Canadiens français et se sont identifiés à une communauté circonscrite par les différents facteurs identitaires que sont la langue, le contexte de choix et le territoire.

Une situation semblable ?

Prenons donc pour acquis que nous avons raison de traiter les communautés autochtones comme des nations à part entière. Ne doit-on pas alors leur reconnaître en principe les mêmes droits que ceux dont se réclame le Québec ou, à tout le moins, des droits qui sont semblables à ceux de la nation québécoise ? La réponse est oui. Il faut les reconnaître comme nations, enchâsser cette reconnaissance dans la Constitution du Québec souverain, reconnaître leurs droits ancestraux, admettre un droit à l'autonomie gouvernementale, et les associer à la définition de cette notion. On peut même aller jusqu'à admettre qu'ils ont *en principe* un droit moral à l'autodétermination qui inclut non seulement un droit à l'autonomie gouvernementale, mais aussi un droit d'association ou d'intégration et un droit de sécession. Le droit à l'autodétermination ne doit cependant pas être inscrit dans la Constitution parce qu'il ne s'agit pas d'un droit juridique, mais plutôt d'un droit moral qui ne peut être exercé que dans des circonstances extrêmement particulières.

Les Premières Nations, tout comme la nation québécoise, peuvent dans des cas très graves recourir à des mesures qui entraînent la violation de l'intégrité territoriale. Mais il faut, pour ce faire, des justifications morales très importantes. Le Québec a de telles raisons. Le Canada refuse de lui reconnaître le statut de nation. Ce refus a seulement commencé à prendre une forme explicite depuis les 30 dernières années, mais il était déjà implicitement présent depuis le début de la Confédération. La Confédération a en effet été fondée sur un malentendu fondamental et l'idée des peuples fondateurs n'a été entretenue que par les fédéralistes québécois. Le Canada refuse aussi d'accorder au Québec tous les pouvoirs dans des domaines relevant de sa compétence nationale (éducation, langue, culture, télécommunications, immigration) ou régionales (formation de la main-d'œuvre, assurance-chômage, développement régional). Il n'a cessé au contraire de s'immiscer dans les affaires de compétence québécoise par son pouvoir de dépenser. Il a aussi toujours tenté d'imposer un carcan de normes « nationales » contre la volonté explicite de tous les gouvernements québécois. Il a ensuite, par de nombreuses politiques, influé de manière inégale sur le développement économique de ses nations et assuré le développement d'une seule région économique (Toronto) aux dépens des autres régions, et en particulier aux dépens de la région économique de Montréal, qui est le cœur de l'économie nationale québécoise et qui est presque aussi populeuse que Toronto. Il a toujours refusé de renégocier un partage de pouvoirs avant de rapatrier la Constitution. Tout cela constituait déjà un contentieux très lourd qui justifiait le recours à une démarche souverainiste. Mais à la suite de l'échec référendaire de 1980, les choses ont continué à se détériorer. Le Canada a imposé sans référendum un ordre constitutionnel qui allait à l'encontre de la volonté québécoise et de son Assemblée nationale, et le Québec s'est vu à cause de cela exclu de la famille constitutionnelle. Le « pacte fédératif » a alors été rompu et toutes les règles de bonne conduite entre entités fédérées ont été violées. C'est un peu comme si à ce moment-là, le Canada s'était séparé du Québec. Le Canada a ensuite refusé d'entériner l'Accord du lac Meech qui allait assurer au Québec un minimum d'autonomie en matière de législation linguistique. Tous ces refus des Canadiens ont été progressivement explicités au cours des 30 dernières années.

Les Premières Nations ont sans doute des griefs de ce genre. Les plus graves se sont produits il y a plusieurs siècles. Leur situation a historiquement été beaucoup plus difficile que celle du Québec, et elle est à bien des égards encore maintenant plus difficile que celle du Québec. Mais on ne peut exclusivement tabler sur des arguments historiques et, dans la conjoncture actuelle, on ne peut aisément attribuer des torts au Québec. Ont-elles toujours de tels griefs à l'endroit du Canada qui a été leur principal interlocuteur jusqu'à maintenant ? Nous ne chercherons pas à répondre à cette question même s'il semble très clair que le gouvernement canadien s'est particulièrement traîné les pieds dans ce dossier. Mais ont-elles une justification semblable à l'égard du Québec ? Pour que les Premières Nations aient le droit de violer l'intégrité du territoire québécois, il faut que le Québec se comporte à leur endroit comme le Canada s'est comporté à l'égard du Québec depuis une trentaine d'années. Dans les deux prochaines sections, nous nous demanderons si les Premières Nations ont une justification morale pour avoir recours à la sécession après l'accession du Québec à la souveraineté, ou pour exercer un droit d'association avec le reste du Canada avant l'accession à la souveraineté. Nous ne poserons pas le problème de l'accession des Premières Nations au statut d'États souverains : une telle éventualité est peu plausible, elle ne correspond pas à ce qu'elles revendiquent, et des considérations telles que la viabilité et la reconnaissance internationale entreraient en ligne de compte. Les deux aspects de la question, celui du droit de sécession ou du droit d'association, ne sont considérés que dans la perspective d'une intégration au reste du Canada.

MICHEL SEYMOUR

Le gouvernement québécois sur la sellette

Nous ne croyons pas que les Premières Nations puissent prétendre que l'attitude québécoise soit intransigeante quand on examine la situation de près. Tout d'abord, le Québec n'est pas l'interlocuteur principal même si depuis 1973, suite à une politique du gouvernement fédéral, les deux paliers de gouvernements sont associés aux discussions en matière de revendications territoriales globales. Si on veut prendre en considération la responsabilité du Québec, il faut dans le meilleur des cas partir de 1973, car avant cette date, les négociations incombaient d'abord et avant tout à Ottawa. Il faut ajouter à cela que jusqu'à maintenant, les Indiens et les Inuit ainsi que les terres qui leur sont réservées relèvent de la compétence exclusive du gouvernement fédéral en vertu de l'article 91 (24) de la loi constitutionnelle de 1867. La loi sur les Indiens qui instaurait le régime des réserves a été imposée par le gouvernement fédéral et non par les gouvernements provinciaux.

Qu'est-il arrivé depuis 1973 ? On doit constater l'ouverture progressive du Québec. La Convention de la Baie James a été signée dès 1975. Il s'agissait d'une entente entre les gouvernements québécois et canadien, d'une part, et les Indiens Cris (11 000 personnes) et les Inuit (7000 personnes), d'autre part. Ce fut la première entente à être conclue dans le cadre de la nouvelle politique fédérale. En 1978, l'entente fut élargie pour inclure les Naskapis (500 personnes). En 1983, le gouvernement québécois a adopté un ensemble de principes devant désormais régir les négociations avec les autochtones. En 1985, il a reconnu l'existence des nations autochtones. Il faut aussi dire que les Premières Nations revendiquent l'autonomie gouvernementale depuis 1985 seulement. Le gouvernement québécois est

engagé dans des négociations sur l'autonomie gouvernementale avec plusieurs nations sur son territoire. En témoignent l'offre récente faite aux Attikameks (4000 personnes)
et Montagnais (au moins 12 000 personnes), mais aussi les
négociations avec la nation inuit (7000 personnes) qui sont
déjà très avancées.

À tout cela, il faut ajouter les ouvertures récentes du
gouvernement dont le retrait du projet Grande-Baleine et
l'accord signé avec les Cris en mai 1995. Dans son avant-
projet de loi sur la souveraineté, le gouvernement actuel a
affirmé en outre la volonté expresse de la nation québécoise
de constitutionnaliser le droit des Premières Nations à l'autonomie gouvernementale. Tout cela nous met sur la bonne
piste. Imaginons que l'on reconnaisse en plus les droits
ancestraux des Premières Nations et que l'on reconduise
dans l'éventuelle constitution du Québec souverain les
clauses de la Constitution canadienne de 1982 les concernant (sauf le rôle de fiduciaire du gouvernement fédéral,
bien entendu). Quel argument moral les Premières Nations
pourraient-elles invoquer pour justifier le recours à la violation de l'intégrité territoriale une fois le Québec devenu
souverain[4] ?

---

4. Il est vrai que plusieurs membres des Premières Nations ont des
conditions de vie très difficiles. Mais elles sont peut-être dans une
situation moins difficile au Québec si l'on se fie à un certain nombre
d'indicateurs très souvent mentionnés comme la vitalité de la langue
parlée, le niveau d'éducation, le revenu annuel moyen, le taux de chômage, le déplacement vers les villes, le taux de criminalité et le taux
d'emprisonnement, etc. (Voir Danielle Cyr, « La survie des langues
autochtones du Québec : une idéologie en mutation », Communication
présentée dans le cadre du colloque « Études québécoises : bilan et
perspectives », Université de Trèves, Allemagne, 1993.) Il est vrai cependant que des problèmes très importants demeurent, et les gouvernements
doivent s'employer à faire l'impossible pour corriger cette situation.

Certains soutiendront que des conflits impliquant les Premières Nations semblent se manifester davantage sur le territoire québécois qu'ailleurs au Canada. Ce fait s'explique aisément : contrairement aux provinces de l'Ouest, le Québec n'a pas procédé à l'extinction des droits ancestraux des Premières Nations par des traités. Si l'on excepte la Colombie-Britannique et les Provinces maritimes, le Québec est à toutes fins utiles un des seuls lieux au Canada où des revendications territoriales globales sont encore possibles, et c'est aussi le lieu où celles-ci sont les plus avancées. Ailleurs au pays, les Canadiens se sont montrés plus opportunistes et ont réussi à imposer lors de la construction des chemins de fer des traités qui allaient de pair avec l'extinction des droits des autochtones.

À la lumière de ces nombreux gestes d'ouverture de la part du gouvernement québécois, on peut conclure qu'une violation de l'intégrité territoriale du Québec apparaîtrait à ce stade-ci pour le moins prématurée advenant l'accession du Qué-bec à la souveraineté.

Un droit d'intégration au Canada ?

Avant que le Québec ne devienne souverain, les Premières Nations ne peuvent-elles pas décider de rester dans le Canada ? Il faut répondre à cela que le droit d'association ou d'intégration, tout comme le droit de sécession, a pour effet de violer l'intégrité territoriale du Québec. La seule différence est l'existence d'un délai si ce droit est exercé avant la souveraineté du Québec. Ce serait seulement lorsque la souveraineté entrerait en vigueur que la violation de l'intégrité territoriale prendrait effet. Le droit d'association avec (ou d'intégration à) l'État souverain de son choix, comme composante du droit à l'autodétermination, doit donc être soumis aux mêmes contraintes morales que le droit de sécession proprement dit. Les Premières Nations ne peuvent exercer leur bon vouloir en ces matières sans justifications morales importantes. Elles doivent avoir des griefs importants avec leur nouvel interlocuteur, le gouvernement du Québec. Sinon, ce comportement est immoral. Pour le moment, l'interlocuteur principal est encore à Ottawa, et ce, même si très souvent le travail est fait avec le négociateur québécois[5].

Les Premières Nations ne peuvent pas tout bonnement choisir la proposition d'autonomie gouvernementale canadienne de préférence à la québécoise si les deux sont équivalentes, parce que cela fait une énorme différence aux yeux des Québécois. Il y va des intérêts économiques en jeu dans le Grand Nord et de l'intégrité territoriale du Québec. Pour heurter de front ces intérêts, il faut des justifications morales. Les Premières Nations peuvent-elles invoquer des justifications morales alors que le gouvernement du Québec est disposé à faire aboutir l'entente d'autonomie gouvernementale avec les Attikameks et les Montagnais, à poursuivre celles déjà avancées avec les Inuit et les Cris et à amorcer des négociations avec les autres nations ?

Après un vote favorable lors du référendum de 1995 et avant l'accession du Québec à la pleine et entière souveraineté, aucun changement constitutionnel ne surviendra. Les clauses concernant les droits ancestraux et l'obligation de fiduciaire de la part de la Couronne du Canada demeureront en application. Si en outre le gouvernement du Qué-

---

5. En ce qui concerne la négociation d'autonomie gouvernementale avec la nation inuit, par exemple, tout le travail est fait par le gouvernement québécois. Le gouvernement fédéral adopte à toutes fins utiles le rôle d'observateur dans les discussions actuelles.

bec s'engage à reconduire les clauses de la Constitution de 1982 dans sa propre Constitution au moment où il accède à la souveraineté, les Premières Nations ne peuvent invoquer le changement de l'ordre constitutionnel pour justifier l'exercice de leur droit à l'autodétermination[6].

---

6. Il est vrai que la proposition gouvernementale à l'intention des Attikameks et Montagnais est restée pour le moment lettre morte. Elle était pourtant fort généreuse. Elle incluait 4000 kilomètres carrés comme lieu d'exercice du gouvernement autonome et 300 kilomètres carrés de pleine propriété. Elle incluait aussi 40 000 kilomètres carrés de droit de chasse et de pêche pour la subsistance. Elle offrait enfin aussi la cogestion des mines et des forêts et le partage des bénéfices provenant de leur exploitation. Pourquoi a-t-elle été refusée ? La réponse à cette question est sans doute fort complexe. Il se peut que les populations concernées soient tentées par l'idée de faire hausser les enchères. Il se peut aussi que certains manifestent une certaine méfiance à l'endroit du gouvernement, et ce quel que soit le contenu de la proposition. Certaines nations s'inquiètent peut-être aussi du sort réservé à la clause de droit ancestral et au droit à l'autodétermination. Mais il se peut aussi que plusieurs nations ne soient pas encore prêtes à renoncer aux réserves, pas encore prêtes à l'idée d'un gouvernement public autonome, pas encore prêtes à admettre une définition non ethnique de la nation. Il y a tout lieu de croire que les nations concernées hésitent devant tant de réformes en profondeur et tant de changements rapides.

En ce qui concerne la Convention de la Baie James, pas moins de douze révisions sont survenues depuis son adoption en 1975. Il s'agit d'un document qui est sans cesse réactualisé. Par exemple, une entente est survenue il y a deux ans concernant la commercialisation du caribou et de la perdrix. Et le gouvernement vient tout juste de conclure une nouvelle entente avec les Cris concernant une nouvelle réactualisation. Il faut sans doute reconnaître que leurs griefs sont fondés en très grande partie. Les gouvernements successifs à Québec n'ont pas tenu suffisamment compte des clauses économiques contenues dans la Convention de la Baie James. Les 15 milliards de profit issus de la construction de barrages n'ont entraîné aucune retombée pour les Cris, et cette situation doit être corrigée. L'entente survenue en mai 1995 constitue un premier pas dans la bonne voie. Le gouvernement a conclu un accord portant sur

Les droits ancestraux

Doit-on reconnaître l'existence des droits ancestraux aux peuples autochtones ? À ce sujet, il faut admettre que les procureurs généraux qui se sont succédé à Québec ont toujours plaidé en faveur de l'extinction de ces droits. Cette extinction remonterait au régime français et aurait été confirmée lors de la Conquête. De plus, avec la Convention de la Baie James, les Cris auraient renoncé à ces droits. Qu'en est-il exactement ? Il semble qu'il n'y a pas de raison de principe pour refuser ce droit aux diverses nations autochtones vivant sur le territoire québécois. L'essentiel à ce propos est d'être clair sur la définition du droit ancestral. On doit déterminer s'il inclut ou non un droit de propriété, un droit de chasse et de pêche, un droit à l'autonomie gouvernementale et un droit de taxation. On doit aussi savoir si ce droit est compatible avec le fait d'être assujetti à la Charte des droits et libertés et au code criminel. On pourrait penser que l'important est que ce droit puisse se traduire par des propositions concrètes, mais il ne faut pas négliger la dimension symbolique. Il faut que les Premières Nations puissent en vertu de ce droit avoir accès pour des fins de subsistance à des terres qui dépassent largement celles sur lesquelles elles ont un droit de propriété. Il faut qu'on leur reconnaisse un droit de propriété sur des terres

---

les résidences de personnes âgées, sur le développement économique, sur l'implication des autochtones dans l'exploitation des forêts, sur une structure régionale et sur le leadership local. Mais les Cris ont-ils d'autres griefs concernant l'entente ? Il semble que l'un des problèmes majeurs concerne l'extinction de leurs droits ancestraux. Comme tous les traités conclus au Canada, celui de la Baie James a entraîné l'extinction des droits ancestraux. Et comme les autres nations autochtones, les Cris veulent voir reconnaître leur droit à l'autodétermination.

spécifiques. Il faut qu'elles puissent effectivement instaurer sur ces terres un gouvernement autonome. Il faut en somme que des ententes du type de celle proposée aux Attikameks et Montagnais puissent être conclues. Il n'est peut-être pas nécessaire de conclure de telles ententes en échange de l'extinction des droits ancestraux des Premières Nations. C'est là une vieille méthode qui doit peut-être être abandonnée. De telles ententes peuvent être accompagnées par une clause portant sur les droits ancestraux que l'on enchâsserait dans la Constitution du Québec souverain. Cela pourrait très bien se faire pourvu que la notion de droit ancestral soit définie et que sa portée soit précisée.

Le droit à l'autodétermination

Nous avons laissé entendre plus haut que les autochtones avaient en principe un droit moral à l'autodétermination. Mais le droit à l'autodétermination est-il un droit moral? Le rapport des cinq juristes internationaux rédigé à l'intention de la Commission d'étude des questions afférentes à l'accession du Québec nous permet de répondre par l'affirmative[7]. Il ressort de leur rapport que l'exercice du droit à l'autodétermination n'est pas régi par des règles de droit international et donc qu'il s'agit dans le meilleur des cas

---

7. Les cinq juristes stipulent que : 1) l'accession à la souveraineté est une question de fait que le droit international constate. 2) Le droit à l'indépendance complète n'est autorisé qu'aux peuples coloniaux. Un État peut cependant réaliser l'indépendance complète s'il a la reconnaissance rapide des États souverains, s'il se montre capable de gérer son propre territoire et s'il fait adopter une déclaration d'indépendance de façon démocratique. 3) Les frontières internationales du Québec souverain seraient les frontières provinciales.

d'un droit moral. Il est vrai que la déclaration universelle des peuples autochtones semble aller dans le sens de la reconnaissance juridique du droit à l'autodétermination des peuples. L'autodétermination est ici une notion qui inclut l'indépendance souveraine ou l'autonomie gouvernementale, l'association à un État indépendant ou son *intégration* proprement dite. Cette déclaration n'est cependant pas encore en vigueur et elle fait l'objet d'une étude attentive aux Nations Unies. Supposons cependant que l'on soit quand même en mesure de faire intervenir un instrument qui n'est pas encore en vigueur. Mais alors il faut aller au-delà des seules considérations juridiques. Il faut soulever la question *morale* de l'exercice du droit à l'autodétermination.

Un constat s'impose donc. Qu'on se fie au jugement des cinq experts consultés par la commission d'études des affaires afférentes à la souveraineté ou à la déclaration universelle, le droit à l'autodétermination semble pour le moment un droit moral qui requiert des justifications morales adéquates pour être exercé. Il n'y a pas de problème moral en soi, et il se peut que dans un avenir prochain, on puisse adopter des règles plus restrictives concernant le droit des peuples à disposer d'eux-mêmes. Les droits moraux des peuples ne sont rien d'autre que des droits collectifs qui n'ont pas encore fait l'objet de législation explicite. Rien n'interdit donc que cela se produise dans un avenir prévisible. Mais en attendant de voir la communauté internationale se prononcer par des règles de droit mises en vigueur par un organisme international, le droit à l'autodétermination demeure un droit moral.

Il semble donc qu'on ne doive pas inclure un tel droit dans la Constitution du Québec souverain. La situation est la même pour les Premières Nations et le Québec. Dans un cas comme dans l'autre, ni la Charte actuelle des Nations

Unies ni la Constitution canadienne ne confèrent un droit juridique à l'autodétermination. Il s'agit d'une question morale qui doit se justifier par des arguments moraux. En somme, les Premières Nations ont comme le Québec un droit d'autodétermination et le refus d'enchâsser un tel droit ne doit pas être interprété comme une absence de reconnaissance de la part du Québec à l'endroit des autochtones[8].

Conclusion

Puisque l'on peut envisager favorablement la reconnaissance des droits ancestraux et que le droit d'autodétermination ne peut être enchâssé dans la Constitution, il

---

8. Il se peut que certaines des Premières Nations choisissent la confrontation et veuillent exercer leur droit à l'autodétermination. C'est la raison pour laquelle le gouvernement du Québec ne prend pas de risques et qu'il a inscrit dans l'avant-projet de loi sur la souveraineté une clause d'inviolabilité de l'intégrité territoriale. On sera sans doute tenté de répliquer que le gouvernement ne peut pas à la fois traiter le droit à l'autodétermination comme un droit exclusivement moral et du même coup inscrire une clause confirmant le caractère inviolable de l'intégrité territoriale du Québec. Si l'exercice du droit à l'autodétermination est fonction de justifications morales et non juridiques, alors comment comprendre une clause d'inviolabilité du territoire qui tente de bloquer par une procédure juridique tout recours à l'exercice de ce droit ? La vérité est peut-être que le gouvernement québécois sait d'ores et déjà qu'il devra s'engager dans une « épreuve de force » avec certaines des Premières Nations. C'est aussi dans la perspective d'un tel rapport de force qu'il faut comprendre le désir des Premières Nations de voir reconnaître sur le plan juridique un droit comme l'autodétermination. Nous croyons pour notre part que l'idéal serait de ne pas avoir à inscrire dans la Constitution une clause d'inviolabilité de l'intégrité du territoire. Mais nous comprenons aussi que le problème moral que nous avons soulevé ne semble pas être reconnu par certains des chefs autochtones.

semble que les Premières Nations n'aient pas en ce moment au Québec de justification morale pour exercer leur droit à l'autodétermination. Comme pour la nation québécoise, il faut une justification morale pour exercer un tel droit. Le droit d'association ou d'intégration (exercé avant l'accession du Québec à la souveraineté) ou le droit de faire sécession (exercé après) irait à l'encontre des intérêts économiques du Québec dans le Grand Nord et violerait son intégrité terri-torriale. Il pose donc un problème moral. Mais si le Québec est disposé, comme il semble l'être, à reconnaître les nations autochtones, à constitutionnaliser cette reconnaissance, à leur accorder un droit de veto sur tout changement consti-tutionnel, et à admettre éventuellement des droits ances-traux clairement définis ainsi que leur autonomie gouver-nementale, alors on peut difficilement prétendre que leurs droits collectifs ne sont pas reconnus et qu'ils ont en ce moment une justification morale semblable à celle qu'a le Québec pour faire sécession.

Plusieurs personnes ont à maintes reprises prétendu que les souverainistes ne pouvaient rien contre l'exercice du droit à l'autodétermination des Premières Nations. La situation, prétendent-ils, est la même pour les Québécois et les nations autochtones. Si les premiers s'engagent dans un processus d'accession à la souveraineté qui viole l'intégrité du territoire canadien, alors ils ne peuvent rien contre des nations autochtones qui chercheraient à en faire autant et violeraient l'intégrité du territoire québécois. C'est ce rai-sonnement en apparence implacable que nous venons de désamorcer. Nous acceptons l'idée que la position de la nation québécoise est parfaitement symétrique à celle des Premières Nations, mais nous estimons justement qu'elle se situe au niveau de l'exercice d'un droit qui requiert des justifications morales. Or nous croyons avoir montré que la nation québécoise avait de telles justifications morales alors que les Premières Nations ne peuvent pas, dans les circonstances présentes, prétendre qu'elles ont des justifications morales de ce genre à invoquer contre le Québec. Il y a symétrie, mais justement au nom même de cette symétrie, il faut admettre que les Premières Nations n'ont pas pour leur part de bonnes raisons en ce moment pour violer l'intégrité territoriale du Québec.

Nous préférons cependant terminer sur une note plus positive. Le Québec et les Premières Nations ont des intérêts objectifs en commun et il est temps qu'ils s'en rendent compte. À la lumière des récents déblocages, on peut d'ailleurs saisir dans l'air du temps un changement de cap autant chez les souverainistes que chez les autochtones. Il faut le dire et le répéter parce que c'est vrai. La nation québécoise et les Premières Nations : MÊME COMBAT !

POUR L'AVENIR
DU FRANÇAIS

Charles Castonguay* et Josée Legault**

PREMIÈRE PARTIE

Charles Castonguay

Dans le Canada, l'avenir du français est celui d'une langue de plus en plus minoritaire. La tendance est déjà bien enclenchée.

La tendance est lourde

Depuis 1951, la proportion de francophones au Canada a chuté de 29 à 24 %. À partir de 1961, la perte est de plus d'un point de pourcentage par décennie.

Entre-temps, le poids des francophones au Québec fluctue au gré des migrations : à la baisse pendant la forte

---

* Département de mathématiques, Université d'Ottawa.
** Candidate au doctorat, Département de science politique, Université du Québec à Montréal.

Tableau 1

Poids relatif des francophones (langue maternelle)

	Canada	Québec	Canada anglais
	%	%	%
1951	29,0	82,5	7,3
1961	28,1	81,5	6,6
1971	26,9	80,7	6,0
1981	25,7	82,5	5,2
1991	24,3	82,0	4,8

Source : Statistique Canada, publication 96-313.

immigration allophone d'après-guerre ; à la hausse en 1981, après le départ d'une partie des anglophones réfractaires aux lois 22 et 101 ; de nouveau à la baisse en 1991, avec la reprise d'une forte immigration.

Anglicisation, sous-fécondité, immigration

Le déclin du poids des francophones au Canada s'explique par le pouvoir d'assimilation de l'anglais, appuyé plus récemment par la fin de la surfécondité francophone.

Au Québec, la vulnérabilité du poids des francophones vis-à-vis de l'immigration découle du pouvoir d'assimilation disproportionné de l'anglais auprès des immigrants allophones. La sous-fécondité francophone depuis la fin des années 1960 a accentué cette vulnérabilité.

À l'extérieur du Québec, l'anglais a assimilé non seulement des allophones mais aussi de nombreux francophones, lesquels transmettent ensuite l'anglais comme langue maternelle à leurs enfants. Si bien qu'avec l'avènement de la sous-fécondité, les minorités francophones sont désormais engagées dans un processus de disparition. Notons que la fécondité des anglophones au Canada est aussi passée, à la fin des années 1960, sous le seuil de remplacement des générations. Mais la puissance assimilatrice de l'anglais — bien au-delà de 100 000 nouveaux anglicisés recrutés tous les 5 ans parmi les allophones et francophones — permet à la majorité anglophone de maintenir aisément son poids au Canada.

La relève fond depuis 30 ans

Le Bureau de la statistique du Québec vient d'annoncer que la sous-fécondité se poursuit toujours. En fait, la sous-fécondité est devenue une constante parmi les pays développés. De plus, le pouvoir d'assimilation du français après les lois 22 et 101 n'est encore qu'embryonnaire : une dizaine de milliers de nouveaux francisés tous les 5 ans. C'est beaucoup trop peu pour combler le déficit dû à la sous-fécondité.

Par conséquent, la base de la pyramide des âges de la population francophone du Québec se rétrécit inexorablement depuis maintenant 30 ans. C'est devenu en fait une pyramide inversée, figure classique qui annonce la décroissance.

Pendant ce temps, l'anglicisation des francophones ne s'est en rien ralentie au Canada anglais. En comparant le nombre d'enfants et le nombre d'adultes susceptibles d'être leurs parents — on compte environ 30 ans entre les générations —, on constate que la moitié de la relève manque à l'appel. Est-il nécessaire d'ajouter qu'à ce rythme, on

Tableau 2

Francophones de moins de 40 ans
(langue maternelle), 1991

Âge	Québec	Canada anglais
30-39 ans	1 025 000	186 000
20-29 ans	862 000	148 000
10-19 ans	782 000	110 000
0-9 ans	745 000	95 000

Source : Statistique Canada, publication 94-319.

aboutit après deux générations à une relève égale au quart seulement de l'effectif initial ?

Au Québec, le déficit entre les générations francophones est de 25 %. Pour compenser la sous-fécondité, il faudrait — ou il aurait fallu — recruter par voie de francisation quelque 100 000 allophones à tous les 5 ans. Or, parmi l'ensemble des allophones immigrés au Québec au cours des 25 dernières années, quelque 50 000 en tout ont adopté le français comme langue d'usage. Ce n'est que le dixième du nombre requis pour stabiliser la population francophone.

La quadrature du cercle

En fait, le Québec ne peut accueillir le flot d'immigrants allophones nécessaires pour compenser la sous-fécondité francophone. Il en faudrait quelque 300 000 tous les 5 ans, car à peine plus d'un sur trois adopte une nouvelle langue au cours de sa vie. Même si c'était matériellement possible

CHARLES CASTONGUAY ET JOSÉE LEGAULT

— ce qui n'est pas le cas — la population francophone perdrait rapidement le contrôle de la situation.

Puisque la quasi-totalité des immigrants s'établit dans la région montréalaise, le poids des francophones est déjà en voie de passer sous la barre des 50 % sur l'île de Montréal. L'anglais devient si facilement la langue de communication préférée des immigrants, que de là à remettre en question le français comme langue de travail, comme langue de scolarisation obligatoire, voire comme unique langue officielle, il n'y a qu'un pas.

Même au Québec, donc, et tout particulièrement dans la région de Montréal, le maintien à la fois du poids et de l'effectif francophones relève de la quadrature du cercle.

Savoir trancher

À plus forte raison, on doit s'attendre à ce que dans le cadre du Canada actuel, le poids des francophones continue à baisser rapidement. Automatiquement, leur poids politique diminuera au même rythme.

Compte tenu du déclin dans lequel la population francophone du Canada se trouve inéluctablement engagée, c'est au Québec que se décidera l'avenir du français sur le continent nord-américain. Afin d'assurer au français un espace viable et des moyens d'épanouissement adéquats, il faut savoir trancher le nœud gordien.

Pour voir à quel point le cadre canadien compromet la survie du français comme langue première, on n'a qu'à parcourir les quelque 25 rapports annuels du Commissaire aux langues officielles du Canada. Ne prenons que le tout dernier, paru un quart de siècle après la mort d'André Laurendeau et l'enterrement d'un Canada binational et biculturel.

Le bilinguisme de façade

Le rapport de mars 1995 nous apprend — pour la 25ᵉ fois ?
— que « le français ne jouit pas d'un statut équitable dans
les bureaux des institutions fédérales dans la région de la
capitale nationale [sic] » : plus de 76 % des fonctionnaires
fédéraux francophones qui travaillent dans la région
d'Ottawa-Hull, utilisent surtout ou uniquement l'anglais
lors de leurs échanges verbaux et écrits avec leur supérieur.
Ils indiquent dans une proportion semblable que l'anglais
est la langue exclusive ou principale de leurs réunions de
travail.

Il est alors facile de comprendre pourquoi, au recense-
ment de 1991, 35 % des jeunes adultes franco-ontariens
habitant la région d'Ottawa parlaient l'anglais comme
langue principale à la maison. À Ottawa, capitale d'un pays
bilingue sur papier, la fonction publique fédérale demeure,
comme avant la Commission Laurendeau-Dunton des
années 1960, une entreprise d'assimilation des francophones.

Qu'en pensez-vous, milord ?

Quant aux services au public, l'actuel commissaire aux
langues officielles ne fait que confirmer ce qui est déjà trop
bien connu. Malgré la réduction récente du nombre de
bureaux gouvernementaux désignés « bilingues », on y
répond souvent aux demandes de service en français par
un : « Do you speak English ? ». Les vérificateurs du commissaire n'ont pu, à l'extérieur du Québec, obtenir des
services en français de qualité satisfaisante dans le tiers des
bureaux de poste ou autres établissements du genre
désignés bilingues. Et ce, après avoir insisté, le cas échéant.

Or, au Canada anglais, le commun des mortels francophones n'insiste pas.

Il est donc facile aussi de comprendre pourquoi, en 1991, plus de 40 % des jeunes adultes francophones à l'extérieur du Québec parlaient habituellement l'anglais à la maison. Plus précisément, à l'est du Québec, leur taux d'assimilation est de 11 % au Nouveau-Brunswick et de plus de 50 % dans les autres provinces maritimes ; à l'ouest, de 43 % en Ontario, de 63 % au Manitoba et de 75 % ou plus dans les autres provinces. L'effet cumulatif d'un quart de siècle de ce bilinguisme de façade comblerait d'aise le bon lord Durham. La comédie a assez duré.

DEUXIÈME PARTIE

Josée Legault

Le professeur Castonguay vient de faire la démonstration de ce que les souverainistes savent depuis de nombreuses années : le gouvernement et le régime fédéraux n'ont tout simplement pas réussi à assurer le développement du fait français au Canada. Non seulement ils n'ont pas su colmater un taux d'intégration scandaleux chez les francophones hors Québec, mais peut-être y ont-ils contribué par une complicité et un silence révélateurs suite à l'adoption au cours du dernier siècle de plusieurs lois antifrancophones au Canada anglais.

Quant au cas spécifique du Québec, la volonté d'établir le français comme langue commune pour la population en général, et d'intégration pour les immigrants, demeure tributaire des efforts exclusifs de ses propres gouvernements. Soumise aux assauts répétés d'une idéologie fédérale basée sur le bilinguisme officiel et la négation de l'existence de la nation québécoise, cette volonté a parfois du mal à résister face à un contexte qui ne cesse de miner nos efforts de francisation.

En fait, à l'intérieur comme à l'extérieur des frontières du Québec, la langue française n'a jamais pu compter sur un appui efficace du gouvernement fédéral et de ses élites, qu'elles aient été canadiennes-françaises ou anglaises. Même l'arrivée fracassante à Ottawa du « French Power » de Pierre Trudeau au milieu des années 1960 semble avoir profité surtout au renforcement du pouvoir personnel de quelques Canadiens français. À la même époque, la fonction publique fédérale ne se francisait qu'en apparence, les communautés francophones hors Québec fondaient comme neige au soleil et le français continuait à perdre du terrain dans la grande région montréalaise. Ne pouvant agir sur les premières problématiques, les gouvernements libéraux et péquistes du Québec ont tenté — chacun à leur façon — d'arrêter la progression de l'anglais comme langue d'assimilation et de mobilité sociale.

En 1995, deux constatations s'imposent. D'une part, l'adoption de la Loi fédérale sur les langues officielles en 1969 n'a pas empêché le français de glisser vers la disparition au Canada anglais. D'autre part, dix-huit ans après l'adoption de la Charte de la langue française, l'anglais demeure au Québec une langue dynamique de culture et de communication — un objet de fierté pour ce qui est du respect des droits collectifs de la minorité anglophone — mais il réussit toujours à susciter des transferts linguistiques chez un nombre élevé d'immigrants, voire de francophones[1].

Qui plus est, on prévoit pour le début du XXIᵉ siècle la minorisation des francophones — qu'ils soient « de souche » ou non — sur l'île de Montréal. Que s'est-il donc passé ? Au Canada anglais, la séquence et la logique inhérentes à l'assimilation des Canadiens français résultent de la combinaison de plusieurs facteurs ayant apparu et disparu au cours des derniers cent ans. Je les énumère brièvement : une certaine francophobie ; la complicité de l'appareil politique fédéral et son refus de désavouer, lorsqu'il en avait l'opportunité, certaines lois provinciales anti-francophones et anticonstitutionnelles ; la puissance d'assimilation de la langue anglaise ; la dynamique de disparition engendrée par l'encerclement démolinguistique et l'évacuation du français comme langue de culture et de communication dans la vie publique ; la diminution du pouvoir politique collectif des francophones du Canada anglais au profit du pouvoir individuel des Canadiens français d'Ottawa ; la soumission de la majeure partie du leadership francophone hors Québec à l'idéologie des langues officielles ; l'apparition subséquente d'une dangereuse dépendance financière et politique vis-à-vis du gouvernement fédéral ; l'incapacité de faire appliquer de manière concrète les dispositions sur les écoles françaises minoritaires contenues dans la Charte canadienne des droits et libertés, un document ne contenant aucune obligation de résultats pour les gouvernants canadiens-anglais.

---

1. Charles Castonguay, *L'assimilation linguistique : mesure et évolution, 1971-1986*, Québec, Conseil de la langue française, 1994, p. 165-191.

Les effets pervers spécifiques à la politique de bilinguisme officiel — ou, plus précisément, à l'idéologie trudeauiste — se sont également fait sentir au Québec. En extirpant de la culture politique canadienne le concept des deux peuples fondateurs — lui-même ayant passé au Québec d'une définition ethniciste canadienne-française à une conception francophone et territoriale —, l'idéologie trudeauiste a substitué à cette réalité binationale ou multinationale l'idée d'une grande nation canadienne. Il n'est donc guère surprenant qu'il soit devenu impossible de faire accepter par le reste du Canada les mesures adoptées par divers gouvernements québécois dans le but de consolider et d'élargir l'espace occupé par la langue française.

À l'extérieur du Québec, ces mesures ne peuvent qu'être vues comme une menace directe à l'intégrité de la nation canadienne et à son symbole suprême, la Charte des droits et libertés. Un exemple manifeste de cette perception est l'échec de l'Accord du lac Meech. Cet échec, rappelons-le, fut précipité par l'adoption au Québec en décembre 1988 d'une loi (loi 178) imposant l'affichage français nonobstant les jugements rendus par les tribunaux canadiens voulant qu'une telle mesure viole la liberté d'expression protégée par nos chartes des droits.

C'est suite à l'adoption par le gouvernement Bourassa de la loi 178 que s'est cristallisé au Canada anglais un puissant mouvement d'opposition à la reconnaissance constitutionnelle d'un statut de société distincte pour le Québec. De nombreux opposants fédéralistes à l'Accord du lac Meech avaient fait référence au danger d'accorder un tel statut à une province qui, de toute évidence, serait tentée d'en user pour renforcer la place du français, symbole ultime de la « différence » québécoise.

Tout renforcement de la nation québécoise par le biais de l'affirmation de la langue française ne pouvait donc qu'entrer en conflit avec la vision d'une nation canadienne composée d'individus dont les seules appartenances culturelles collectives tolérées par la Charte des droits se limitent aux minorités de langues officielles, aux groupes dits multiculturels et aux Autochtones. Ce n'est donc aucunement un hasard si l'existence et la reconnaissance des nations pluriethniques québécoise et canadienne-anglaise ne s'y retrouve pas. Voilà pour ce que le politologue Guy Laforest nomme tristement « la fin d'un rêve canadien ». Ce rêve, c'est celui d'un pays dualiste ou véritablement binational.

Pour ce qui est de la question linguistique, le principal effet de l'enterrement du rêve dualiste est la lutte constante que doivent mener les gouvernements québécois contre un appareil juridique et constitutionnel bâti sur la promotion du bilinguisme officiel et de l'égalité linguistique. Cette promotion tend à placer les deux langues dans un état de compétition nuisible au français, lequel demeure la langue principale d'un minuscule 2 % de la population continentale. À cet égard, les nombreuses défaites juridiques infligées à la Charte de la langue française sont éloquentes. La lente érosion de la lettre et de l'esprit de cette loi a rendu plus que difficile l'établissement d'un consensus chez les anglophones, les nouveaux arrivants et les Québécois d'origine autre que française.

Il est évident que ces luttes juridico-politiques perdureront tant et aussi longtemps que le Québec se butera à une politique fédérale de bilinguisme officiel et de non-reconnaissance de son statut de nation. Sans cette reconnaissance, le Québec ne pourra jamais faire accepter par les non-francophones de la province son caractère unique et majoritairement francophone. S'il ne peut le faire, le taux d'assimilation du français ne sera jamais suffisamment élevé pour garantir sa pérennité linguistique.

À ce chapitre, il est important de noter le refus encore généralisé chez les Anglo-Québécois, dans certains ministères fédéraux, dans l'intelligentsia canadienne-anglaise de la section de la loi 101 obligeant tous les enfants d'immigrants à fréquenter l'école française. Cette section demeure pourtant la seule mesure ayant assuré un nombre minimal — quoique encore insuffisant — de transferts linguistiques vers le français.

Dans son rapport annuel de 1993, même le Commissaire fédéral aux langues officielles, Victor Goldbloom, déplorait que le Québec n'ait pas encore ouvert ses écoles anglaises à certaines catégories d'immigrants ! De leur côté, la plupart des regroupements, partis politiques et médias anglophones poursuivent leur lobbying à l'intérieur et à l'extérieur du Québec dans le but de faire ouvrir les écoles anglaises aux immigrants[2]. À cet égard, rappelons qu'un groupe de militants du Parti égalité et d'Alliance Québec a soumis à l'ONU un dossier alléguant que cette section de la loi 101 viole la Convention internationale sur les droits des enfants, dont le Canada et le Québec sont tous deux signataires...

Rappelons également que le quotidien *La Presse* révélait à l'été que le gouvernement fédéral projette de ratifier une entente avec une quinzaine d'organismes anglo-québécois dont les principaux objectifs sont : la promotion de l'anglais au Québec, la promotion de l'égalité de statut et d'*usage* des deux langues, une plus grande standardisation des positions

---

2. Voir Josée Legault, « L'accès élargi aux écoles anglaises », *Le Devoir*, 15 novembre 1993 ; « Le Québec n'est plus maître chez-lui », *Le Devoir*, 9 avril 1995 ; et « Fabulations », *Le Devoir*, 26 juillet 1995.

et stratégies de ces organismes, une plus grande « coopéra-tion » de ces derniers avec le gouvernement fédéral et un contrôle du financement basé sur le respect de ces positions et stratégies communes. Dans l'éventualité d'une défaite souverainiste au référendum, il est possible que cette entente soit utilisée pour promouvoir l'ouverture des écoles anglaises du Québec aux immigrants, une position appuyée, après tout, par le Commissaire fédéral aux langues offi-cielles.

CONCLUSION

Charles Castonguay et Josée Legault

Le refus de reconnaître le Québec en tant que nation dis-tincte a fait du bilinguisme une pomme de discorde entre les francophones du Québec et ceux du Canada anglais. Il a également créé l'illusion de l'existence d'une grande nation canadienne à l'intérieur de laquelle la langue fran-çaise occupe une place égale à l'anglais.

Véritable marché de dupes pour tous les francophones de ce pays, le bilinguisme officiel fédéral n'assure en rien la survie des minorités francophones au Canada anglais et, en même temps, sert à miner les efforts de francisation de la société québécoise.

Il est heureux qu'au Québec la langue anglaise demeure une langue dynamique et vivante. Cependant, elle continue à concurrencer trop fortement le français comme langue d'assimilation.

L'adhésion à un système et à une culture politiques qui se refusent obstinément à reconnaître l'importance de protéger et de promouvoir la langue française de manière adéquate, ne peut que compromettre la capacité du Québec à faire du français une langue d'avenir en Amérique du Nord.

ENTRE L'ART-PORTEUR-DE-DRAPEAU ET L'ART-POUR-L'ART

Mathieu-Robert Sauvé * *et Geneviève Sicotte* **

Les artistes seront-ils de la bataille référendaire de 1995 ? Le veulent-ils ? Le doivent-ils ? Si oui, comment joueront-ils leur rôle dans l'arène politique ?

Si personne ne peut répondre de façon définitive à ces questions, il faut reconnaître qu'elles sont brûlantes. Le journaliste Alain Gravel, de l'émission *Le Point*, l'a constaté à ses dépens lorsqu'il a demandé à plusieurs artistes qui avaient pris position durant la campagne de 1980 s'ils porteraient de nouveau le flambeau 15 ans plus tard. Rapportant la tiédeur, sinon l'indifférence des Yvon Deschamps, Dominique Michel, Monique Miller et de plusieurs autres personnalités du monde du spectacle, Gravel a affronté la pire vague de dénonciations de sa carrière aussitôt son reportage diffusé. « Ça m'a rappelé un exercice militaire où j'avais été invité ; les balles nous sifflaient au-dessus de la tête », a-t-il confié lors d'une causerie organisée par la Fédération professionnelle des journalistes du Québec.

---

* Journaliste et auteur.
** Candidate au doctorat en études littéraires, Département d'études littéraires, Université de Montréal.

En dépit de la création d'un regroupement d'artistes indignés, les AS (Artistes pour la souveraineté), fondé en catastrophe à la suite de ce reportage pour faire contrepoids à la « désinformation » du *Point*, il faut bien admettre que le sentiment nationaliste d'avant le printemps 1980 s'est considérablement altéré. De flamme ardente, il est devenu chandelle, et même la chandelle vacille... La plupart des créateurs actifs à cette époque ont aujourd'hui évacué de leurs œuvres tous les thèmes nationalistes, et la jeune génération ne semble pas intéressée à prendre la relève.

Il faut se rappeler que les années 1950 et 1960 ont été très riches en manifestations culturelles politisées au Québec, que ce soit dans les domaines de la poésie, du théâtre ou de la chanson. Cette éclosion lyrique — et sensiblement naïve — allait de pair avec le développement d'un nationalisme axé sur la sauvegarde de la langue et de la culture entendue au sens large. Les Gaston Miron, Gérald Godin, Michel Tremblay, Michel Garneau, Félix Leclerc, Louise Forestier, Robert Charlebois et tant d'autres ont contribué à révéler le Québec à lui-même et à forger son imaginaire. Les artistes exprimaient le nationalisme québécois, ils parlaient du pays qu'ils aimaient et surtout de celui qui restait à faire.

Mais si certains se souviennent avec nostalgie de cette époque, il n'apparaît pas clairement que la soumission de l'art à la question nationale ait été bénéfique. C'est en fait plus le nationalisme que l'art qui y a gagné, puisque nombre d'œuvres ayant connu le succès sont maintenant tombées dans l'oubli, n'ayant pas survécu au changement de contexte politique. L'art était dans la Cité, mais à un point tel qu'il finissait dans de nombreux cas par se réduire au politique.

MATHIEU-ROBERT SAUVÉ ET GENEVIÈVE SICOTTE

« *Comme si le Québec existait* »

Mais la situation a évolué peu à peu. Les sociologues Marcel Fournier et Guy Bellavance constatent : « À partir de 1976, à la suite de l'élection du Parti québécois, la stratégie est plutôt de mettre la politique au service de la culture et du développement culturel : on cherche moins à faire de " l'art québécois " qu'à *faire de l'art au Québec*, ou à partir du Québec, et d'en vivre[1]. »

Quelle que soit la date exacte que l'on assigne à ce changement de registre esthétique, le « non » de 1980 est venu marquer une coupure définitive dans l'imaginaire des artistes. Cette coupure s'est jouée non seulement au plan politique, mais aussi au niveau symbolique et intime. Après la défaite de l'idéal d'indépendance politique qu'ils avaient porté, les artistes québécois ont délaissé les projets collectifs et se sont tournés vers les valeurs individuelles. Leurs œuvres en témoignent de façon éloquente.

Dans un essai récent, André Brochu montre qu'après le printemps 1980, la poésie engagée des Michel Garneau, Gaston Miron, Madeleine Gagnon et Gérald Godin a cédé le pas à celle, mystique et spiritualiste, des Juan Garcia, Jean-Marc Fréchette et François Charron. Brochu soutient que « la poésie des années 80 fait comme si le Québec existait, que le référendum avait été gagné ». Chez la cinquantaine d'auteurs étudiés, le concept du « pays à bâtir », avec tout le romantisme et le lyrisme qui lui étaient accolés au cours des décennies précédentes, a disparu. Désormais citoyen du monde, l'écrivain « s'intéresse au langage, à l'écriture, parfois à Dieu, beaucoup à soi ». Paul

---

1. Gérard Daigle (dir.), *Le Québec en jeu*, Presses de l'Université de Montréal, 1993, p. 528.

117

Chamberland incarne à lui seul l'évolution de cette poésie qui s'est détachée des préoccupations d'affirmation collective. Auteur de *Terre Québec*, ancien éditorialiste à *Parti pris*, il « a troqué depuis, selon Brochu, le " nous " du pays pour une autre allégeance, spirituelle et cosmique [...]. Le poète est l'envoyé des extraterrestres, un missionnaire, voire un messie[2]. »

Alors que la *Trilogie des Dragons* remplaçait *Medium saignant* à l'affiche des salles montréalaises, les dramaturges faisaient le même virage. Dans les années 1980, les chantres du pays se sont fait de plus en plus rares sur les planches. « C'est bien beau se séparer du Canada, mais pour faire quoi ? se demande l'auteur Jean-Frédéric Messier, qui a notamment contribué à la création de *Cabaret Neiges Noires*. Si c'est pour se chicaner pour la dette pendant 15 ans... Il faudrait savoir quelles sont nos vraies richesses, de quelle façon on peut collaborer au paysage mondial.[3] »

Robert Lévesque, critique de théâtre au *Devoir*, trace un constat similaire. Au sujet des metteurs en scènes les plus en vogue de la nouvelle génération, il affirme : « C'est un effacement du politique qui définit leur travail, qui les différencie de la génération précédente où l'affirmation, le nationalisme et les luttes sociales servaient de moteur à la pratique du théâtre[4]. »

Lors d'un événement littéraire organisé par l'Union des écrivaines et écrivains du Québec en septembre 1994, quelques jeunes auteurs réunis ont aussi témoigné de leur indifférence face à la question politique. Comme si leur

---

2. André Brochu, *Tableau du poème ; la poésie québécoise des années quatre-vingt*, XYZ (coll. Documents), Montréal, 238 p.
3. Alexandra Jarque, « La révolte contre la bêtise », *Possibles*, vol. 19, numéros 1-2, hiver/printemps 1995, p. 204.
4. Robert Lévesque, « Une saison par quatre », *Le Devoir*, mardi 13 juin 1995, p. B-8.

travail d'écriture leur permettait de s'extraire du monde pour mieux se consacrer à leur œuvre... S'il faut absolument défendre des causes, ont-ils fait valoir, ce sera la lutte contre le racisme, l'environnement, le pacifisme et tutti quanti. La question nationale n'avait aucun intérêt à leurs yeux. Quand on les harcèle de questions, les jeunes auteurs daignent parfois se prononcer en faveur du projet souverainiste, mais ils ne veulent ni en parler ni en entendre parler. Encore moins en faire des sujets d'intrigue romanesque !

Il était certainement vital qu'après trois décennies de nationalisme, l'art québécois s'ouvre au reste de la planète. Ce changement radical des repères esthétiques faisait écho à des modifications profondes dans la conception que les Québécois se faisaient d'eux-mêmes. L'identité « tricotée serrée », le folklore et l'artisanat devenaient *out*, le mouvement *politically correct* préparait son nid dans la culture québécoise des années 1990, les influences européennes cédaient de plus en plus la place aux influences américaines, etc. Les remarquables performances de la troupe Carbone 14, du Cirque du Soleil ou du théâtre Repères, caractérisées par une recherche formelle originale et un souci d'internationalisme, ont délaissé les questions identitaires et ont montré que les créateurs québécois sont capables de rivaliser avec les plus grands.

La triste contrepartie de ce succès, c'est que l'art des années post-référendaires se conçoit comme dépourvu d'un rapport politique au monde. Or l'art est inévitablement politique, même quand il prétend ne pas l'être. Faire comme si l'identité d'une collectivité n'avait aucune importance, quand précisément cette identité est problématique, changeante, en butte à des difficultés ou menacée, c'est accepter que l'art perde une grande partie du sens qu'il est susceptible d'avoir.

Comment l'art parle du monde

L'art est le fruit de l'imaginaire singulier d'un individu inscrit dans une collectivité. Irréductiblement subjectif, s'écartant de façon subversive des idées reçues, l'art se constitue néanmoins à partir d'un langage commun, et a besoin de ce langage commun pour exister et pour être compris. Si l'artiste ne parle que pour lui-même, il exprime tout de même son appartenance à une ou à plusieurs collectivités, même quand son œuvre consiste à vouloir défaire ces appartenances. L'art n'est donc pas inscrit dans une sphère abstraite située en dehors du monde, où tout ne serait « qu'ordre et beauté, Luxe, calme et volupté ». Au contraire : quoi qu'il fasse, l'art parle du monde, il est d'emblée inscrit dans le langage commun à une époque et dans un lieu donnés, bref, dans le politique au sens large. L'art est toujours dans la Cité, même lorsqu'il prétend s'en abstraire.

Cela signifie-t-il que le seul art valable soit celui qui thématise explicitement son rapport au politique ? Faut-il retourner à un « art social » qui s'ajusterait immédiatement aux grands enjeux et problèmes qu'une société doit affronter ? Sûrement pas. Le caractère subversif de l'art peut s'exercer de diverses manières : l'ironie, le jeu, la dénonciation, la distance, la provocation, voilà comment l'art peut parler du monde, soulever des questions, et — parfois, mais pas nécessairement — donner des réponses. Dans l'idéal, ces modes devraient tous avoir autant d'espace et constituer des positions légitimes pour les créateurs. Aucun d'entre eux ne devrait s'imposer comme la seule issue ou le seul refuge des artistes. Pourtant, c'est un peu ce qui s'est passé au Québec depuis trente ans : nous sommes passés d'un art engagé et dénonciateur à un art distancié et fondé sur la recherche formelle. Les artistes ont dû choisir leur camp entre l'art-porteur-de-drapeau et l'art-pour-l'art. Et si ces choix forcés, cette dichotomie étaient le fruit d'une situation politique non résolue ? C'est le contexte politique qui a fait en sorte que les artistes soient forcés d'emprunter une voie ou l'autre. L'art obligatoirement engagé est né de la menace qui pesait sur l'existence même d'une communauté minoritaire dont la langue et la culture étaient uniques en Amérique ; l'art distancié est né de la déception, qui est allée jusqu'au refus de penser les questions politiques et identitaires.

Pour que la culture s'épanouisse, il faut qu'un espace de liberté existe pour la création. L'artiste ne doit pas être placé sur la défensive ou au contraire en position de retrait : il est une voix originale à l'intérieur d'un courant, et il doit pouvoir parler du monde de toutes les façons possibles. Tant que la question nationale québécoise ne sera pas réglée, l'espace de liberté des artistes sera limité.

L'argent n'est pas neutre

Au plan purement administratif, le milieu de la création peut difficilement s'épanouir s'il est constamment traversé par des chicanes de juridictions. La façon dont l'État conçoit la culture et le découpage bureaucratique qu'il effectue pour allouer des ressources doit correspondre à la configuration réelle des forces créatives. Bien entendu, cela peut exister à l'intérieur d'une fédération multinationale. Encore faut-il que cette fédération reconnaisse l'autonomie culturelle de ses nations constitutives. Ce n'est pas le cas au Canada, et les créateurs de toutes tendances devraient se rendre à l'évidence que ce ne sera sans doute jamais le cas. Ce n'est donc pas un nouveau « non » qui va améliorer leur sort...

Même dans une perspective fédéraliste, il y a longtemps que le Québec aurait dû assumer pleinement son autonomie en ces matières, comme cela vient de se produire en Belgique, où les gouvernements communautaires (wallon et flamand) se sont vu confier l'entière responsabilité du budget de la culture[5]. Mais le projet de souveraineté culturelle de l'ancien Premier ministre Robert Bourassa, tout comme la revendication d'une pleine maîtrise d'œuvre par la ministre de la Culture du dernier gouvernement libéral, Liza Frulla, sont restés lettre morte. Il faut comprendre que la récupération des pleins pouvoirs ne se réduit pas à une bataille d'entités administratives qui veulent défendre leurs compétences. Le Québec veut tout simplement administrer sa culture. La non-reconnaissance de la spécificité du Québec constitue au fond la face constitutionnelle et légaliste d'un problème plus profond : le Canada ne reconnaît pas l'existence d'une communauté québécoise fondée sur le partage de solidarités, de rapports de force, de choix culturels et d'imaginaires communs. L'administration des affaires culturelles doit demeurer sous la responsabilité de la nation où elle se développe. Le Québec doit donc faire reconnaître son autonomie en ces matières.

Mais reste entière une vieille question : jusqu'où l'État doit-il s'avancer dans le champ culturel ? On n'exigera jamais des artistes qu'ils appellent des fonctionnaires avant de commencer un tableau ou un roman ! Certes, pour l'artiste, le désir de créer est irrésistible, et ce désir est souvent plus fort que tout. Les conditions dans lesquelles il exerce

---

5. La structure politique de la Belgique a été considérablement décentralisée suite aux accords de la Saint-Michel (1992), et comporte maintenant trois niveaux de gouvernement (fédéral, communautaire et régional) ayant chacun leurs compétences propres.

son art comptent cependant plus qu'on pense. Souvent ces conditions sont négligées et on s'en remet à l'esprit de sacrifice des individus. C'est faire preuve à la fois d'irresponsabilité et de mépris pour les créateurs. L'intervention maladroite de l'État ou sa non-intervention priveraient la société de la précieuse contribution d'artistes jamais nés qui auront refusé de sacrifier leur vie à une carrière misérable dans des conditions faméliques.

L'État a donc un rôle à jouer, mais ce rôle est délicat et semé d'embûches. Il doit s'imposer non au plan du contenu de la production culturelle, mais être présent en ce qui concerne son financement. La démarche originale de gestion de la culture que le Québec a mise en œuvre, qui se situe entre le modèle français interventionniste et le modèle canadien du *arm's lenght*, constitue déjà un pas en ce sens.

Cela dit, il ne faut pas s'attendre à ce qu'une réponse positive au prochain référendum fasse miraculeusement gonfler les subventions destinées aux artistes. Alors même que le Premier ministre Jacques Parizeau était titulaire du portefeuille de la Culture, durant l'été 1995, la Presse canadienne diffusait dans son réseau un article intitulé « Moins d'argent pour la culture ». On y apprenait notamment que les budgets des gouvernements fédéral, provinciaux, territoriaux et municipaux avaient diminué en 1993-94, pour une quatrième année de suite !

Toujours considérée comme secondaire, la culture semble vouée à rester dans l'ombre des « choses sérieuses » : les transports, les pâtes et papiers, l'inforoute... Les nations d'Occident semblent encore penser que moins on en donne aux artistes, plus leurs œuvres sont transcendantes. Le Québec souverain n'échappera sans doute pas à cette tendance, surtout dans un contexte de restrictions budgétaires. Mais c'est justement aux créateurs et à tous ceux qui considèrent que la culture est vitale pour une collectivité qu'il revient de s'engager dans les débats publics pour faire en sorte que la façon dont l'État gère la culture corresponde à leur vision et à leurs besoins.

Manger aux deux râteliers...

Au plan matériel, le principe des multiples paliers gouvernementaux n'offre pas que des désavantages. Certains artistes, notamment dans le monde du cinéma, refusent même d'adhérer au projet souverainiste car ils voient plusieurs avantages à profiter du dédoublement. D'une part, cela diversifie les sources de financement pour leurs projets (on crée une concurrence), et d'autre part les sommes globales semblent plus importantes. On a d'ailleurs souvent fait valoir que le Québec obtenait plus que sa part sur le plan culturel à l'intérieur du cadre fédéral, compte tenu des sommes versées par les impôts et les taxes diverses perçues dans cette province.

Si une telle chose était vraie en ce qui concerne l'industrie cinématographique et la télévision d'État, la crise des finances publiques obligera bientôt à réviser ces chiffres, les organismes publics à vocation culturelle étant souvent les premières cibles des compressions budgétaires. Par exemple, le budget de l'Office national du film, creuset de l'expertise canadienne et québécoise en matière de films documentaires, a été amputé de 7 millions en quatre ans. Des projets sont sur la glace, les salles de montage paralysées. L'atmosphère, confirme un cinéaste d'expérience, est à la morosité, à l'amertume. « Moi, dit-il, j'ai déposé ma démission ; je quitte au printemps. »

Et inutile d'aborder la question du réseau français de Radio-Canada qui, à force d'être saigné d'un budget fédéral, ne sera bientôt plus que l'ombre de lui-même. Peut-être bien avant la fin du siècle, si la tendance se maintient… En outre, le fait que le Québec reçoive une large part de subventions fédérales pour financer des manifestations culturelles doit être replacé dans le contexte politique général. Si Ottawa semble disposé à contribuer financièrement à l'expression de la culture québécoise, c'est dans le but inavoué de faire taire ses velléités autonomistes. La générosité canadienne n'est donc pas désintéressée. Avec l'argent qu'il récupérerait d'Ottawa, le gouvernement québécois pourrait créer des paliers régionaux offrant aux artistes les mêmes opportunités. On peut même croire qu'ils s'en porteraient mieux car cette restructuration marquerait la fin d'un gaspillage de fonds qui a déjà trop duré. En somme, les créateurs du Québec n'ont pas besoin du cadre fédératif. L'argent n'est pas neutre, les structures politiques qu'il emprunte véhiculent des visions idéologiques dont il ne faut pas être dupes.

La souveraineté comme antidote aux idées reçues

Le rapatriement des pouvoirs en matière culturelle aura-t-il un impact sur l'esthétique québécoise contemporaine ? Pas directement, bien sûr. Mais le règlement de la situation nationale et la mise en place d'institutions plus représentatives et plus adaptées à l'épanouissement de la culture québécoise à travers ses diverses manifestations fera peut-être en sorte que l'art cessera d'être déterminé par l'embâcle politique qui règne entre le Québec et le « rest of Canada » depuis si longtemps. Tous reconnaissent l'extraordinaire vitalité de la culture québécoise. L'industrie du livre, par exemple, en dépit de difficultés financières croissantes (imposition de la TPS, augmentation du prix du papier) est relativement florissante, en dépit du fait que, selon une étude de l'UNESCO, publiée il y a quelques années, le marché de l'édition ne pourrait survivre sans l'aide de l'État dans un pays de moins de 12 millions d'habitants.... On trouve au Québec 200 éditeurs, 75 distributeurs, 450 lbrairies et 430 bibliothèques.

Autre exemple de la santé du livre : on compte des salons du livre dans chaque région du Québec : au Saguenay-Lac-Saint-Jean, en Estrie, à Rimouski, à Montréal, sur la Côte-Nord, à Trois-Rivières, en Outaouais, à Québec et en Abitibi-Témiscamingue. Ces grandes fêtes annuelles stimulent l'industrie tout en ravivant l'intérêt du public pour la lecture.

Selon une étude sur les pratiques culturelles des Québécois, la fréquentation des musées est également en hausse. Entre 1983 et 1989, la clientèle de tous les genres de musées (musées d'art, d'histoire, thématique) s'est accrue de 9 %. La proportion de la population adulte qui fréquente les musée atteint 40 %, « ce qui est de 10 points plus élevé que ce que l'on a mesuré en France », selon le sociologue Gilles Pronovost[6].

Environ un Québécois sur trois va au théâtre une fois par année, et la programmation des troupes est variée. Des nouvelles pièces sont régulièrement créées et on peut voir les plus grandes œuvres du répertoire sur plusieurs scènes. Le théâtre expérimental est très actif à Montréal et à Québec, alors que les théâtres d'été mettent au programme plus d'une centaine de pièces chaque saison, rejoignant près d'un million de personnes.

---

6. Gilles Pronovost, *Loisir et société, traité de sociologie empirique*, Presses de l'Université du Québec, 1993, p. 85.

Le cinéma, une industrie qui génère annuellement un demi-milliard de dollars (dont 40 % pour la télévision), est aussi très actif. Plus de 227 entreprises vivent de cinéma au Québec, et malgré la morosité économique, une douzaine de longs métrages et une cinquantaine de documentaires sont produits et réalisés chaque année sur le territoire. La musique rock, populaire, jazz, classique, baroque ; le ballet, la danse et l'opéra comptent aussi un grand nombre d'adeptes bien servis par les spectacles à l'affiche. En fait, dans chaque domaine d'activité artistique, le Québec compte plusieurs représentants qui font leur marque à travers le monde. Et, le plus important, le public est friand des activités culturelles. Il en redemande. L'espace incertain, entre-deux-eaux de l'identité québécoise a donc donné naissance malgré tout à une remarquable floraison d'énergie créatrice.

Si les Québécois et Québécoises rejettent la souveraineté, la vie des arts au Québec n'en sera peut-être pas immédiatement affectée, mais cela annoncera inévitablement l'effritement progressif de la différence québécoise au sein du Canada. Les gens de ce pays apparaîtront aux yeux des Canadiens et à leurs propres yeux comme une grosse minorité culturelle, et les outils que l'on consentirait à leurs artistes correspondront à ce statut minoritaire. Ils auront une culture divisible au prorata du nombre de provinces et de territoires que compte le Canada.

L'argument culturel justifiant la souveraineté ne consiste donc pas à prétendre que la culture d'ici est en péril et que seule l'accession du Québec au statut de pays offrira une garantie suffisante pour sa survie. Il s'agit plutôt d'assurer le plein épanouissement de la culture dans un espace national stable et autonome. Cela afin de ne pas contraindre les artistes à subordonner leur propre démarche à des questions politiques portant sur l'existence d'une culture distincte. En d'autres termes, la question nationale doit être réglée afin que l'art et la culture cessent de porter le poids de la survie collective ou au contraire de fonctionner comme si la communauté n'avait aucune importance. La souveraineté peut donc constituer un antidote aux idées reçues, dans la mesure où elle permettra aux artistes de se dégager des sempiternelles ornières de l'art-porteur-de-drapeau ou de l'art-pour-l'art.

Décider de se donner un pays, c'est dire son appartenance à un groupe porté par des projets, où des conflits surgissent à l'occasion, où des rapports de force sont en jeu, mais où les problèmes et les rêves sont communs. La création d'un pays n'est pas fondée sur l'adhésion aveugle des citoyens envers une cause unique, mais sur le désir de participer à la communauté. L'art a un rôle particulier à jouer dans ce projet, puisqu'il sert souvent à rendre problématique ce qui est pris pour acquis, ce qu'on ne pense pas devoir remettre en question. Un art en prise avec sa société est un art qui garde vivant et éveillé, que l'on peut détester ou aimer, mais qui ne laisse pas indifférent.

C'est sur ce plan que peut se situer aujourd'hui l'engagement des artistes.

SOUVERAINETÉ ET SOLIDARITÉ

Mona-Josée Gagnon *

Étant souverainiste de longue date et du côté gauche de l'échiquier politique depuis tout aussi longtemps, je dois me considérer qualifiée pour écrire un texte associant le projet souverainiste à la notion de solidarité, en établissant si possible entre les deux un lien de causalité, le sens de ce dernier demeurant à déterminer. Mais hélas, rien n'est si simple. En persistant à construire un pont entre souveraineté et solidarité, on se situe d'emblée dans l'analyse politique, et très souvent dans la prospective et dans la spéculation.

C'est de quoi sont faites les pages qui suivent. Je pense que le seul rapprochement incontestable que l'on peut faire entre solidarité et souveraineté, c'est que les deux mots commencent et se terminent par les deux mêmes lettres. Ce texte portera donc surtout sur l'univers des possibles que mettrait au monde la souveraineté, et marginalement traitera de quelques poncifs qui encombrent le débat politique

* Département de sociologie, Université de Montréal. Service de la recherche de la FTQ.

lorsqu'il s'agit de conjuguer solidarité et souveraineté. Je procéderai en trois étapes. D'abord je définirai la notion de solidarité, en insistant sur la polysémie qui la caractérise et en prenant position à cet égard. Ensuite, je proposerai en quoi l'accès de la société québécoise à la souveraineté faciliterait, sur le plan logistique, la mise en place de politiques incarnant la solidarité. Enfin, en prenant le sujet par son envers, je suggérerai que l'accès à la souveraineté pourrait nous libérer collectivement d'une vision fort répandue, mais à mon sens bien perverse, de la solidarité. Le tout pour expliquer en quoi la souveraineté porte à mes yeux une promesse de solidarité, non pas en vertu de quelque pensée magique, mais tout simplement parce que le projet souverainiste, faute de se réaliser, est devenu un handicap pour la gauche québécoise, sinon une maladie chronique.

De quelle solidarité s'agit-il ?

Dans le vocabulaire du slogan, du mot d'ordre, et plus largement dans le langage politique, le mot « solidarité » claque comme un drapeau qui a toujours sa place. Tous en font grand usage au Québec, en raison de cette connotation inexorablement positive : ainsi du syndicalisme et des coalitions de tout poil, des partis politiques et des gouvernements qui se succèdent, des groupes de gens d'affaires et des groupes à base identitaire fondés sur le sexe, la condition sociale ou l'orientation sexuelle.

Les fondements sémantiques de la solidarité nous renvoient pour leur part à deux notions. D'une part, la *communauté d'intérêt ou de situations* : sont solidaires les gens qui ont quelque chose en commun, ce quelque chose se cristallisant dans une conscience identitaire plus ou moins nette. D'autre part, l'*entraide* : la solidarité implique des mécanismes ou des réseaux incarnant entraide et partage, plus généralement des comportements d'entraide, et à tout le moins des attitudes susceptibles de s'actualiser au moment nécessaire. Voilà déjà que des questions se posent. Nous sommes placés dans l'obligation de définir le fondement de la communauté d'intérêt et l'objet de l'entraide. Réfléchir sur la solidarité et sur son rapport avec la souveraineté du Québec nous entraîne à afficher nos couleurs avec plus de précision que ne le suggère habituellement une prise de position en faveur de la souveraineté.

S'agissant d'un pays en puissance dont une partie significative de la population souhaite l'émancipation, la communauté d'intérêt et de situation nous renverrait naturellement à la collectivité, au peuple. Or cette communauté d'intérêt et de situation n'a pas de réalité objective : le Québec est une société qu'il est de bon ton d'appeler « pluraliste » (mot creux par excellence), en pratique multiethnique, alors que le seul groupe francophone est à l'origine du projet souverainiste et que la protection de notre langue et de notre culture en sera toujours le moteur. La réalité subjective de cette communauté d'intérêt et de situation n'est pas davantage au rendez-vous, puisque les francophones sont loin d'être unanimes au sujet de la souveraineté.

Si bien que, au sein d'une société qui se veut ouverte à tous, et dans le cadre d'un projet politique qui s'articulera sur un État de droit, les appels à la solidarité désignant explicitement le groupe francophone n'ont pas de raison d'être et ne sont pas non plus conformes au genre de société que pour la plupart il s'agit de bâtir.

Revenons momentanément à l'autre versant de la notion de solidarité, soit celui de l'entraide. Nous nous trouvons ici en terrain plus familier, car la solidarité a été historiquement associée aux organisations d'exclus, d'exploités, à la gauche en général. Le mot qui recouvre à lui seul la quintessence des problèmes sociaux de notre époque est celui d'exclusion. On l'utilise pour désigner des groupes d'âge, des groupes de statut par rapport au marché du travail, plus généralement des groupes ou individus caractérisés par la pauvreté et la précarité de leurs conditions d'existence.

On peut définir et documenter l'exclusion de multiples façons. Mais il y a, heureusement, moins de façons de l'analyser : il faut choisir son camp. Pour les uns, les manifestations contemporaines de l'exclusion constituent les effets, sans doute déplorables mais inévitables, du jeu des forces du marché à l'échelle internationale et de l'évolution du marché du travail. Pour ceux-là, c'est essentiellement aux individus qu'il revient de s'adapter aux mutations actuelles. De solidarité il n'est guère question, sinon sous des formes qui consistent essentiellement à lubrifier les rouages de notre économie (aide à la capitalisation, formation professionnelle...).

Pour les autres, dont je suis, les exclusions sont la conséquence directe du fonctionnement d'une économie capitaliste mondialisée, et plus généralement de rapports de pouvoir et d'exploitation. Il en est ainsi aujourd'hui comme de tout temps. Notre société, comme toutes les autres, génère des inégalités de toutes sortes, matérielles, sociales, culturelles, et ces dernières ont la mauvaise habitude de se renforcer les unes les autres. C'est pourquoi l'entraide doit être à l'ordre du jour, et pourquoi des mécanismes, publics et associatifs, doivent être mis en œuvre pour lutter concrètement contre l'augmentation des inégalités et des exclusions. Il s'agit simplement d'essayer de bâtir la société la plus généreuse possible dans un contexte économique et géopolitique terriblement adverse. Dans pareille optique, la communauté d'intérêt et de situation renvoie en fait à une communauté de pensée désignant ce type d'analyse politique, qu'on peut assimiler au courant social-démocrate. La solidarité — puisque c'est toujours celle-là qu'il s'agit d'appréhender — recouvre donc une analyse, une vision de la société québécoise d'aujourd'hui et de demain. La solidarité des uns n'est pas celle des autres : nous ne sommes pas en face d'une vision unanime. Et le rapport de la solidarité à la souveraineté est imprécis et ne fait sens que pour une partie d'entre nous. Les pages qui suivent s'inscrivent dans cette optique, et celles qui précèdent avaient pour objet de faire ressortir la polysémie du terme mais aussi l'importance de la chose.

La souveraineté pour activer une vision de la solidarité

La souveraineté du Québec pourra servir les causes de la solidarité d'abord pour deux raisons essentielles, qui ont noms « cohérence » et « action politique ».

D'autres auteurs, dans ce volume ou ailleurs, ont fait l'illustration de l'impossibilité de mettre en application une ligne politique lorsque les compétences sont partagées entre deux États qui sont non seulement en perpétuelle relation antagonique, mais dont les occupants (les gouvernements) répondent à des contraintes politiques, c'est-à-dire électorales, différentes. Ainsi a-t-on éloquemment entendu parler de champs d'activité comme les politiques de main-d'œuvre ou de développement régional ou encore les programmes sociaux, qui se portent fort mal d'être gérés selon deux orientations, et au plus grand malheur des fonds publics. La duplication des compétences, ou encore les empiétements du fédéral, permettent aussi aux deux gouvernements de rejeter sur l'autre la faute des échecs ou des déficiences, ou encore de se dispenser de développer une vision politique claire, limpide et intégrée.

L'acte de gouverner, l'organisation politique d'une société, ne se prêtent pas à ce saucissonnage bricolé que sont la constitution canadienne et le partage des compétences qui en découle. Gouverner, c'est définir une orientation qui traversera et imprégnera tous les champs de compétence. Si l'orientation générale est la solidarité, il faut que cette dernière réussisse à se nicher partout, qu'elle trouve espace au sein de tous les ministères, même ceux qui en apparence ne sont pas concernés par elle. Un idéal politique se conjugue à tous les temps, nécessairement, et se joue à tous les rythmes. Il ne souffre pas de ruptures et il a besoin de logique et de continuité.

Les exigences de coordination et de synergie supposent donc que les compétences se retrouvent à la même adresse. Relativement à la sauvegarde de la solidarité active dans un Québec souverain, il faut éviter des modes de décentralisation de l'activité publique qui hypothèquent la capacité de l'État central à redistribuer les ressources. Ainsi faut-il mettre au clair qu'il est sans objet de revendiquer que chaque région du Québec reçoive de l'État une quote-part équivalente aux impôts qu'elle génère. La lutte aux inégalités doit se jouer à tous les niveaux, et si elle est directrice à l'échelle de la société globale, elle l'est à plus forte raison entre les régions.

On peut se demander pourquoi le Québec ne pourrait pas fonctionner au sein de la fédération canadienne comme plusieurs envisagent que les régions du Québec évolueraient dans un contexte de souveraineté. Je pense que le Québec a hérité d'une différence irréductible, d'ordres linguistique et culturel, qui l'empêche à jamais de s'approprier l'idéal canadien, ou même plus simplement de tolérer d'y être associé. Le mouvement souverainiste n'a pas d'autre source que la perception de cette différence. Si bien qu'un nouveau partage des compétences, dans le cadre canadien, est sans objet : nous n'avons pas de pays, de sensibilité en commun, et ces morceaux de passé que nous partageons recouvrent trop d'amertume. Le fait que nulle part ailleurs qu'au Québec on ne souhaite une nouvelle constitution est éloquent : changer ce pays qui n'en est pas un relève du bavardage.

Le retour des compétences constitutionnelles au Québec mettrait également un terme à un système de deux vitesses créé et quotidiennement sanctionné par la confédération canadienne. Chacun sait-il que les travailleurs et travailleuses du Québec ont des droits différents selon qu'ils sont à l'emploi d'entreprises œuvrant dans un secteur sous compétence fédérale ou sous compétence provinciale (québécoise) ? Que les femmes voient leurs droits à l'équité modulés ? Que des règles différentes s'appliquent en matière de santé et sécurité du travail ? Que le droit de travailler en français est encore moins affirmé au fédéral qu'il ne l'est au provincial ? Ne chipotons pas. Il est des domaines où la législation fédérale est supérieure[1]...

Il faut viser à une égalité de droits, et cela passe par un Québec souverain. Cela étant posé, chacun sait que les lois ne tombent ni du ciel ni même du Conseil des ministres : elles sont aussi le produit de rapports sociaux. Et ceci est une autre raison de souhaiter la souveraineté du Québec : l'action politique des groupes et individus qui font le pari de la solidarité s'en trouvera facilitée. L'unification des centres

---

1. Par exemple : la durée normale du travail hebdomadaire.

de décision, s'agissant des grands arbitrages, facilitera l'organisation politique et forcera peut-être à plus de cohérence revendicative. On peut également penser que le gouvernement du Québec nous étant exclusif mais aussi plus proche, la population tendra à s'impliquer davantage dans les grands débats.

Assurément, ce qui précède est une opération de spéculation, comme il y en a tant d'ailleurs, avouées ou non, par les temps qui courent. Il y a un certain sens à considérer que le régime constitutionnel actuel nous préserve, d'un point de vue de gauche, du pire. Il fallait être bien malchanceux pour être gouvernés à droite au provincial *et* au fédéral. Pourtant c'est arrivé, et les différents paliers de gouvernement n'ont pas toujours fait office de contrepoids l'un envers l'autre.

Il demeure que, dans un Québec devenu souverain sous l'égide d'un parti politique de centre-gauche, le Parti québécois, en alliance avec des forces politiques assez diversifiées et dans certains cas plutôt imprécises en termes d'orientation, rien ne nous garantira qu'un parti néolibéral ou une coalition de la même encre ne vienne à prendre le pouvoir. Plusieurs sont persuadés qu'un destin aussi funeste ne saurait nous frapper, en nous prêtant une allergie « ethnoculturelle » à la droite. La gauche canadienne-anglaise a d'ailleurs longtemps prétendu que le Canada avait une fibre social-démocrate beaucoup plus accentuée que nos voisins du Sud, appuyée en cela par des auteurs très sérieux de l'un ou l'autre pays[2]. Le syndicalisme canadien-anglais s'est aussi autoglorifié avec constance (et professeurs d'université à l'appui) pour se juger plus à

---

2. Par exemple, Seymour Martin Lipset, *Continental Divide : The Values and Institutions of the US and Canada*, New York, Routledge, 1990.

gauche[3] que le syndicalisme américain bureaucratisé et affairiste.

Je ne prise guère ces rodomontades. À l'heure où le Reform Party est implanté solidement dans l'Ouest canadien, nos voisins de l'Ontario et du Nouveau-Brunswick gouvernés à droite, il n'y a pas lieu de pavoiser. C'est non seulement un désastre géopolitique, c'est aussi un avertissement. Je ne crois pas que le Québec ait ontologiquement le cœur à gauche, ni que ses organisations politiques et syndicales ou son réseau d'économie sociale... aient bien des leçons à donner aux autres Canadiens. Le patronat québécois est aussi intransigeant et mesquin que les patronats nord-américains en général. Nous avons depuis la nuit des temps la manie de faire de nos succès des triomphes sinon des drapeaux, tout en étant bourrés de complexes. Le paradoxe, évidemment, n'est qu'apparent. La gauche québécoise a hérité de cet atavisme, et en a convaincu plusieurs que la solidarité nous est en quelque sorte innée. Je propose au contraire que nous sommes, *mutatis mutandis*, plutôt semblables aux autres, et que francophonie et latinité n'ont pas fait des Québécois un peuple différent, eu égard aux différents enjeux politiques qu'affrontent les sociétés contemporaines. Rien ne dit que nous ne tomberons pas dans les bras d'un leader populiste de droite. Mais finalement, comme il ne faut jurer de rien... valait-il la peine d'écrire un article sur la thématique « souveraineté-solidarité » ?

Ma réponse est dans les pages suivantes. La souveraineté du Québec aurait pour effet de libérer la gauche de ce frein efficace qu'est une question nationale *qui ne se règle pas*. Je suis, comme à peu près tous les souverainistes,

---

3. Le syndicalisme canadien a coutume de qualifier son action de « social unionism ».

j'imagine, en faveur de la souveraineté pour des raisons qui ont trait à la survie de mon peuple, de ma langue et de ma culture. Mais la souveraineté aurait à mes yeux l'extraordinaire effet secondaire de permettre au Québec de retrouver une gauche « libérée » de l'objectif nationaliste, capable de retourner à ses affaires et de contribuer à hausser les débats politiques au Québec. C'est en effet un lourd fardeau pour la gauche de devoir porter deux projets politiques qui ne se recouvrent pas complètement. Un seul projet politique serait largement suffisant.

Souveraineté et projet de société

Le clivage social au Québec recouvre la carte du sentiment nationaliste. Toutes les organisations patronales et leurs porte-parole officiels sont contre la souveraineté, ce qui n'empêche que des figures importantes des mondes financier et industriel ne soient connues ou même ne s'affichent comme des souverainistes. Toutes les organisations syndicales[4] ont, l'une après l'autre, proclamé leur foi souverainiste et oublié leurs « oui » torturés des années 1970. Solidarité populaire Québec, qui est la coalition de groupes populaires la plus importante et la plus crédible au Québec, qui ratisse tous les horizons de l'action communautaire, a inclus dans sa charte[5] une profession de foi souverainiste. Bien entendu, tous les membres ou affiliés de la mouvance syndicale et populaire ne sont pas souverainistes, mais les

---

4. À l'exception de la Centrale des syndicats démocratiques (CSD), qui par principe n'intervient pas dans les débats politiques, et de la plupart des syndicats indépendants. Restent donc CSN, CEQ et FTQ.
5. Solidarité populaire Québec, 1994, *La charte d'un Québec populaire : le Québec qu'on veut bâtir.*

défections sont discrètes et proviennent rarement des têtes d'affiche.

Ce clivage nationaliste, eu égard aux organisations qui représentent ce qu'il faut bien appeler les « acteurs de classe », devrait en soi être objet d'analyse. Notre intention est plus modeste, s'agissant de réfléchir aux effets de cette situation sur les organisations syndicales et populaires.

C'est surtout des organisations syndicales qu'il s'agit en fait : elles sont beaucoup plus institutionnalisées, jouent un rôle d'acteurs politiques majeurs au Québec, possèdent des ressources autonomes, des structures capillarisées et une capacité d'impact médiatique. En outre, seuls les syndicats sont des organisations dont l'action se déroule *principalement* dans la sphère économique... ce qui vaut à leurs dirigeants d'être considérés comme des « décideurs » à l'occasion des « forums » dont nous sommes au Québec friands.

C'est donc de ce côté que surgit la tentation de « hiérarchisation » des luttes avec son cortège d'allusions, de « menaces de chantage » ou de chantages purs et simples adressés à un gouvernement souverainiste mal noté comme employeur ou comme administrateur de la chose publique. Compte tenu de toutes les bavures et bourdes qui émergent jusqu'à la surface de l'opinion publique, on n'ose penser à ce qui se dit dans le huis-clos des suites ministérielles. Et tout ce qui va dans un sens peut aller dans l'autre : le projet souverainiste peut tempérer une critique qui autrement eût été plus acerbe.

Il n'y a pas vraiment de quoi s'étonner que les organisations syndicales vivent de façon un peu problématique leur engagement nationaliste. Ce dernier n'est après tout pas leur raison d'être. Si l'immense majorité de ceux et celles qui composent l'appareil et la militance sont sans doute très majoritairement souverainistes, tous ne sont pas cependant sur la même longueur d'onde lorsqu'il s'agit de situer l'objectif souverainiste, en termes de ressources, d'efforts de mobilisation, de médiatisation... par rapport aux autres objectifs syndicaux plus traditionnels. Le fait qu'une grande partie des syndiqués soient des employés de l'État québécois complique naturellement la situation. De plus, les organisations syndicales regroupent aussi des membres anglophones ou issus de communautés ethnoculturelles les plus diverses. Enfin, la fibre nationaliste est peut-être différemment ancrée et développée selon les générations ; or les syndicats sont largement dirigés par *la* génération nationaliste des baby-boomers.

C'est peut-être pour répondre à ces tensions imprécises qu'il ne faut pas trop attiser que les organisations syndicales (et populaires) prennent beaucoup de soin à faire savoir que leur engagement souverainiste s'inscrit dans un projet de société (social-démocrate, axé sur la recherche du plein emploi, etc.). Rien n'est plus normal que l'adhésion à un projet de société social-démocrate de la part d'organisations progressistes. On feint d'oublier toutefois qu'on chercherait en vain un *lien de cause à effet strict* entre souveraineté et social-démocratie. On peut spéculer, certes, on peut trouver très probant le fait que le Parti Québécois soit plus social-démocrate que les autres partis politiques québécois, ou voir dans la présence plus grande, à l'échelle historique, de l'État québécois dans le développement de notre économie une assurance-État-providence garantie...

Il s'agit toutefois d'une vision assez naïve de la chose politique. D'une part, les différentes composantes de la société civile jouent un rôle majeur dans l'évolution de l'opinion publique et de l'action des gouvernements, dont aucun n'est à l'abri du clientélisme. D'autre part, un

Québec social-démocrate un jour ne le serait pas nécessairement de toute éternité : on ne peut pas arrêter l'horloge de la vie politique (à moins d'une dictature diaboliquement redoutable !). Enfin, la mondialisation des échanges économiques a fait de la géopolitique un facteur beaucoup plus important qu'auparavant. **Peu importe !** Le syndicaliste et souverainiste « politiquement correct » doit faire semblant de croire dur comme fer que social-démocratie et souveraineté constituent un inséparable tandem, aveu implicite que l'émancipation linguistique et culturelle, la pérennité de la francophonie en Amérique du Nord ne « suffisent » pas ou caractériseraient une pensée souverainiste « droitière ». Si bien que les organisations syndicales et progressistes ont mis au monde un projet de société protéiforme et fantasmatique, qui flotte sur tous les débats, qui pèse sur le gouvernement péquiste, qui défie certes les règles et enseignements de la politique mais qui semble avoir la vertu de « dédouaner », aux yeux de certains, le projet de souveraineté de son côté trop « nationaliste ».

Souveraineté et classes[6]

Laissons les organisations syndicales et populaires à leurs problèmes, pour faire maintenant une coupe macrosociologique. On pourrait croire que le clivage patronal-syndical

---

6. L'auteure a traité beaucoup plus en détails ces questions dans plusieurs écrits, et fourni moult références dans : Mona-Josée Gagnon, « La participation institutionnelle du syndicalisme québécois : variations sur les formes du rapport à l'État », dans J. Godbout (dir.), *Questions de culture*, n° 17, 1991, Québec, Institut québécois de recherche sur la culture, p. 173-204 ; Mona-Josée Gagnon, *Le syndicalisme : état des lieux et enjeux*, Québec, Institut québécois de recherche sur la culture, 1994 ; Mona-Josée Gagnon, « Le nouveau modèle de relations du travail au Québec et le syndicalisme », *Revue d'études canadiennes*, vol. 30, n° 1, 1995, p. 30-40.

face à la souveraineté prête au projet souverainiste un caractère « classiste » : il n'en est rien.

En même temps que s'est développé le mouvement souverainiste s'est accréditée une vision consensualiste de la
société québécoise. Le premier gouvernement du Parti québécois, sous la houlette de René Lévesque, en a été l'im-
pulseur initial, avec l'organisation des conférences socio-
économiques (sommets) auxquels étaient en général conviés
les « décideurs » afin de se livrer tous ensemble à un exercice
baptisé « concertation ». Depuis, le Québec se concerte à
tout propos et s'est lancé dans la quête obsessionnelle du
consensus, ce dernier étant maintenant le seul aboutissement heureux d'un débat.

Non seulement aimons-nous et pratiquons-nous la concertation à toutes échelles (macro, micro, méso, locale,
régionale) mais encore en faisons-nous une « marque de
commerce » : nous en sommes les champions. Ainsi les
grands acteurs de classe, au Québec, auraient-ils des habitudes de concertation mieux implantées que partout
ailleurs. De même, les patrons québécois francophones
pratiqueraient-ils une gestion paternaliste éclairée qui rend
caduque la notion de conflit de classe, et pour finir les
patrons et les syndicats se concerteraient-ils, à l'échelle des
entreprises et des milieux de travail, à en faire pâlir d'envie
le reste de l'Amérique du Nord. Il n'est jusqu'au super-
gourou américain Michael Porter qui n'a décerné un *satis-
fecit* aux Québécois, faisant de notre tendance naturelle à la
concertation un avantage compétitif[7].

7. Cité dans P. Gagné et M. Lefèbvre, 1993, *L'entreprise à valeur ajoutée.
Le modèle québécois*, Montréal, Publi-Relais (préface de Gérald Tremblay,
ministre).

Ces pratiques de concertation, que l'on nous présente comme exclusives en dépit d'une abondante littérature qui les banalise tant elles sont répandues, sont utilisées comme faire-valoir du projet souverainiste. Notre projet réussira parce que nous avons avec la concertation le même rapport que celui qu'Obélix entretenait avec la potion magique. En prime, voilà une autre de nos « différences » par rapport au Canada anglais.

Cette vision est relayée par des chercheurs universitaires, par des hommes et femmes politiques bien entendu, mais aussi par les organisations syndicales. Le patronat institutionnel s'en fait rarement le chantre, abandonnant la tâche à des « patrons » individuels. Du côté des organisations syndicales, la définition de la réalité et de l'objectif « concertationniste » est un peu différente. On voit ce dernier comme une séance de répétition avant la mise sur pied des grands instruments institutionnels qui, dans les social-démocraties en exercice, coiffaient à la fois des *orientations* associées à ce courant politique (plein emploi, formation de la main-d'œuvre, programmes « actifs » de sécurité du revenu...) et l'*association des grands acteurs de classe* à la gestion gouvernementale.

Passons sur les malheurs des social-démocraties et sur la volatilité de nos « modèles » européens... Oublions même la dure géopolitique qui dilue l'autonomie des États nationaux et met à mal les projets politiques qui s'écartent des diktats de l'OCDE et des institutions financières internationales... Il demeure assez flagrant que le (ou l'ex) néocorporatisme-à-la-suédoise n'est pas né par génération spontanée : il a été revendiqué, imposé et bâti en raison d'un rapport de force à l'avantage du mouvement ouvrier. Le néocorporatisme en social-démocratie réunit les chefs syndicaux et patronaux à la tête d'organismes gestionnaires parce qu'ils sont, théoriquement et potentiellement activement, des ennemis de classe. C'est pourquoi certains[8] n'hésitent pas à parler de lutte de classe institutionnalisée et portée à son sommet. Les débats au Québec ressemblent parfois, pour leur part, à des appels à l'union sacrée, à la projection fantasmatique d'une société sans classes telle que Durkheim la rêvait, comme si nous hésitions entre Léon XIII et Rudolf Meidner.

Conclusion

La solidarité est une chose trop sérieuse pour en confier l'exercice à un projet d'émancipation nationale. Et un projet d'émancipation nationale est une chose trop sérieuse pour vouloir lui faire porter les solutions à tous les maux du Québec. Sérions les problèmes, arrêtons de les confondre.

Le Québec est une société de classes, les inégalités augmentent et de nouveaux modes d'exclusion se dessinent sous nos yeux. À commencer par un mouvement d'éclatement du salariat (vu comme lien d'emploi continu), face auquel l'inaction est totale et dont il faudrait faire une priorité, non pas en cherchant illusoirement à stopper ce mouvement, mais en établissant des contrôles et balises, en dessinant aussi un nouveau devoir à l'État pour ceux et celles qui ne verront jamais l'ombre d'une convention collective et d'un régime d'avantages sociaux.

Cessons de transformer tous les enjeux politiques en colonnes de chiffres qui se rempliront grâce à l'action des marchés. Il faut remettre en haut de tous les débats les valeurs sociales et humaines. Mais à l'évidence nous ne

---

8. Par exemple, le sociologue suédois W. Korpi.

nous débarrasserons de la manie économiste que lorsque le Québec sera sorti du débat constitutionnel, donc souverain. Cessons d'occulter les coûts de transition que supposera l'accession à la souveraineté. Arrêtons ces autres querelles de chiffres. Le Québec est un pays assez riche pour assumer ces coûts de transition. La discussion sur la distribution de ces coûts sera le premier grand test d'une société qui se veut solidaire.

Je demeure convaincue que l'accession du Québec à la souveraineté renforcera politiquement la gauche en général, et le syndicalisme en particulier, pour le plus grand bien des couches sociales menacées par les processus d'exclusion. Une gauche anémiée, une gauche qui est au four et au moulin en même temps, ne contribue pas comme elle le devrait au débat politique. Et c'est la qualité de notre démocratie qui en souffre aussi. Souverains, nous retrouverons les clivages sociopolitiques qui caractérisent toutes les sociétés de classe. Et nous pourrons, comme société, faire le choix de la solidarité plutôt que celui de l'entrepreneurship. Et peut-être même, à force d'y réfléchir, arriverons-nous à pratiquer l'une sans étouffer l'autre. Après tout, hausser le débat politique, c'est aussi sonner le glas d'une pensée politique dont l'usage du cliché est le pain bénit.

LE POURQUOI ÉCONOMIQUE DE LA SOUVERAINETÉ ET LES COÛTS DU FÉDÉRALISME POUR LE QUÉBEC[1]

Pierre-Paul Proulx *

Un examen des coûts et bénéfices de la souveraineté et du fédéralisme pour le Québec nécessite un examen sur le plan collectif comme sur le plan individuel des aspects économiques, sociaux, culturels, linguistiques et politiques de la question et ce, à court, à moyen et à long terme. Cet article traite principalement des aspects économiques du sujet, les autres aspects nécessairement présents étant laissés en veilleuse dans la discussion étant donné les autres contributions à ce recueil de textes.

L'horizon temporel pour un examen des coûts et bénéfices de la souveraineté couvre une période qui commence au moins avec la Révolution tranquille car c'est depuis cette

* Département d'économie, Université de Montréal.
1. Le lecteur intéressé à une présentation plus complète du sujet pourra lire mon article portant le même titre dans IRPP, *Choix*, série Québec-Canada, vol. 1, n° 11, juin 1995.

époque que certains coûts inhérents à la marche vers la souveraineté du Québec ont commencé à se manifester. Le temps mis à tenter de modifier la constitution du Canada pour qu'elle tienne compte adéquatement du Québec nous a diverti de la mise en place d'un modèle de développement plus approprié pour le Québec.

Nos premiers enseignements de méthodologie de la recherche suggèrent la préparation d'un scénario de référence comme méthode pour vérifier les effets d'un changement de politique... En l'occurrence, la préparation d'un scénario de référence implique un réflexion sur l'évolution probable du Québec au sein du fédéralisme, car c'est à partir de la comparaison d'un tel scénario avec celui de la souveraineté que l'on peu identifier les effets de cette dernière. Nos porte-parole fédéralistes ont certes « oublié » leurs leçons, comme en fait preuve leur refus (leur incapacité) de discuter de ce qui attend le Québec au sein du Canada et leur insistance que le débat doit porter sur la souveraineté.

Ce refus de préparer un scénario de base explique aussi la tendance des porte-parole fédéralistes à attribuer à la souveraineté des coûts que le Québec doit assumer quel que soit son statut politique. Amusant pour une discussion de taverne, mais désolant dans le débat actuel.

Il est indiqué de distinguer entre intégration formelle et intégration informelle pour examiner certains aspects des coûts et bénéfices de la souveraineté. Les écrits sont nombreux sur l'intégration formelle, à savoir celle qui accompagne les ententes intergouvernementales telles l'ALÉNA (Accord de libre-échange nord-américain). Les fédéralistes québécois et canadiens sont silencieux ou peu loquaces sur l'intégration informelle qui découle des activités régulières des entreprises, lesquelles ne s'occupent pas des frontières politiques dans leurs décisions de production, de marketing, etc. Les liens qu'entretient le Québec avec l'Ontario parmi les provinces ainsi qu'avec les États-Unis, sont très solides car ils reposent sur l'histoire, la géographie, les goûts des consommateurs, les infrastructures, les normes et la rationalisation des activités des firmes multinationales, activités qui ont tissé des liens très résistants entre le Québec et ses partenaires économiques[2].

Les anti-souverainistes soutiennent qu'un relâchement de l'intégration formelle provoquerait une chute très significative dans les flux de commerce est-ouest du Québec. L'existence de liens tissés par l'intégration informelle dont un fort pourcentage est composé de commerce intra-firme et intra-industrie, selon mes estimations, nous porte à critiquer leurs prévisions. Que le changement d'orientation dans les flux de commerce du Québec d'un axe est-ouest vers un axe nord-sud s'accélère, convenons-en. Il nous semble probable que les spécialisations du Québec, et donc la composition de notre commerce avec les autres provinces du Canada, soit modifiée, la nature des produits et services que nous exportons et importons au sein du Canada ayant été influencée par l'effort du Canada de combattre les forces d'intégration nord-américaine par la constitution d'un marché commun est-ouest interprovincial qui s'effrite lentement. Mais l'argumentation selon laquelle la souveraineté coupe le Québec de ses marchés canadiens dans une économie nord-américaine intégrée ne nous semble pas plausible.

---

2. Pour une discussion plus détaillée de ce sujet, voir P.-P. Proulx assisté de A. Beaulieu, G. Cauchy et J.-F. Taillard, *Intégration économique et associations économiques d'un Québec souverain*, étude préparée pour l'INRS-Urbanisation et le ministère de la Restructuration du Québec, septembre 1995.

Les Expos cesseraient-ils de jouer au baseball en Amérique du Nord ? La Bourse de Montréal serait-elle débranchée ? L'Internet ne fonctionnerait-il plus au Québec ? La déréglementation dans la vente d'électricité aux États-Unis ne toucherait-elle plus le Québec ? Poser ces questions c'est y répondre.

L'intégration économique formelle et informelle a aussi pour effet de diminuer le pouvoir des États et d'augmenter celui des entreprises. Les pressions d'harmonisation des politiques nationales avec celles d'autres pays augmentent et certaines politiques, dont la politique monétaire, la politique commerciale, la politique de la concurrence, etc. ne peuvent être appliquées qu'avec de moins en moins de marge de manœuvre, alors que d'autres politiques qui fonctionnent mieux lorsqu'on les applique de façon locale et régionale deviennent plus importantes. Les politiques affectant l'entrepreneurship, l'innovation, la formation des ressources humaines, etc. sont de celles-là.

De plus, la réussite dans l'application des politiques devenues plus importantes repose sur la collaboration, les synergies, l'acceptation largement partagée d'objectifs socio-économiques que l'on peut plus facilement obtenir au niveau des régions et provinces qu'au niveau de l'ensemble canadien. Voilà un des éléments importants de l'argumentation qui sous-tend notre conclusion que la souveraineté du Québec lui promet un avenir plus intéressant que ce qu'il peut anticiper comme province. Le niveau de synergies, et l'ampleur des collaborations entre Québécois et Québécoises étant plus élevés dans un Québec souverain que dans une province du Canada, la souveraineté devient un des moyens nécessaires pour promouvoir la compétitivité du Québec.

La poursuite du processus de décentralisation que l'on retrouverait de façon plus accentuée dans un Québec souverain que dans un Québec province du Canada comme les autres est un autre élément qui favorise le choix de la souveraineté[3]. Et voilà qu'Ottawa centralise de plus en plus les politiques et ce, pour plusieurs raisons : l'influence de l'Ontario qui a beaucoup contribué à élire l'actuel gouvernement et qui profite du marché commun canadien ; l'influence des provinces de l'Atlantique et de certaines provinces des Prairies qui profitent d'un gouvernement central fort ; et la volonté de garder ses distances vis-à-vis des États-Unis.

La compétitivité du Québec repose sur celle de ses régions, comme celle du Canada est fondée sur la compétitivité des siennes. Et ce n'est pas en centralisant les pouvoirs à Ottawa que l'on réussira à améliorer la compétitivité du Québec et à appliquer efficacement les politiques devenues plus importantes pour sa compétitivité.

Le « modèle » Canadien qui sous-tend nombre de politiques canadiennes repose sur la mobilité des biens et services, ce qui est opportun pour le Québec. Le Québec est un partisan sans réserve de l'Organisation Mondiale du Commerce et ne ménage pas ses efforts pour faire disparaître les barrières interprovinciales au commerce. Cette libre circulation des biens et des services, de l'information et du capital donne lieu à des pressions d'égalisation des coûts des facteurs selon nos théories du commerce international (Hecksher-Ohlin).

---

3. Pour une discussion de cette question, voir P.-P. Proulx, « La décentralisation : facteur de développement ou d'éclatement du Québec », *Cahiers de recherche sociologique*, n° 25, août 1995,

Mais en outre, le modèle canadien repose sur la mobilité interprovinciale de la main-d'œuvre, laquelle est inopportune pour le Québec. La mobilité interprovinciale des francophones n'est pas avantageuse pour le Québec, car les données disponibles indiquent clairement que, pour les francophones, quitter le Québec c'est perdre l'usage de sa langue maternelle[4]. Il s'agit d'un bien public que l'on ne peut asseoir sur la protection des droits individuels ou la bienveillance de la Cour Suprême du Canada. De plus, quitter le Québec c'est diminuer la masse critique du dernier groupe viable de francophones en Amérique du Nord. Promouvoir la mobilité de la main d'œuvre comme mécanisme d'ajustement aux disparités régionales en Amérique du Nord n'est pas opportun pour le Québec, car cela diminue les possibilités de synergies, d'apprentissage collectif, de transmission d'information sur les marchés et technologies... si essentielles à la compétitivité dans un monde de plus en plus intégré et sans frontières. Les taux moindres de mobilité géographique des Québécois et Québécoises sont un élément positif dans le modèle de développement économique d'un Québec souverain.

La souveraineté du Québec ne s'accompagnerait évidemment pas de restrictions sur les mouvements de personnes. L'immigration internationale continuerait de tenir une place importante dans les politiques du Québec. De plus, l'ALÉNA, dont le Québec et le reste du Canada seraient membres assure par ses modalités des déplacements importants de personnes dont celui des membres de

---

4. Marc Termotte, « L'évolution démolinguistique du Québec et du Canada », document de travail no 2, Québec, Commission sur l'avenir politique et constitutionnel du Québec, 1991, tableau 18.

63 professions allant des architectes aux zoologistes. Il s'agit d'ailleurs d'un sujet dont on veut s'occuper explicitement dans les négociations à venir avec l'Organisation Mondiale du Commerce. La possibilité d'ententes avec les provinces et les États limitrophes sur la mobilité des personnes, la mise en place en commun d'infrastructures, des transferts de recettes fiscales — comme on en a en Europe — est un autre mécanisme qui permettrait de tenir compte des régions frontalières du Québec dont certaines accueillent de la main-d'œuvre des régions voisines en plus de leurs résidants et résidantes.

De plus, et c'est un souci légitime pour le Québec, quel que soit l'aboutissement du référendum, la mobilité de la main-d'œuvre si chère au gouvernement fédéral donne lieu selon nombre d'économistes à des effets positifs de rétro-action qui font que le modèle néo-classique épousé par Ottawa ne peut donner lieu qu'à des disparités interrégionales grandissantes, d'où le besoin d'intervention accrue par Ottawa pour les amenuiser ! Et nos stratèges centralisateurs à Ottawa ne seraient pas conscients de cela ? Convenons cependant que ces effets se sont manifestés plutôt récemment, ce qui ne les rend pas moins pertinents à une réflexion sur les effets durables de la souveraineté ou de la politique canadienne de développement économique régional.

Selon ces nouveaux écrits, la mobilité de la main-d'œuvre se ferait vers les régions où se concentre le capital, ce qui explique le poids grandissant de l'Ontario dans l'ensemble canadien et des écarts régionaux accrus. Ainsi, on n'observerait pas, comme le postule la théorie néo-classique si chère à Ottawa, des déplacements du capital et de la main-d'œuvre en sens inverse, qui auraient amenuisé ces écarts régionaux[5].

Le Québec : un contributeur net à Ottawa ?

Deux études publiées en 1993 ont tenté de cerner l'effet net sur les provinces de dépenses courantes que le fédéral y effectue, moins les impôts qu'il y perçoit. Ce calcul de la balance primaire comporte, dans les deux études, un ajustement qui tient compte de l'endettement du gouvernement fédéral qui lui a permis de dépenser plus qu'il ne perçoit dans toutes les provinces. De plus, dans la première des deux études dont il est question ci-bas, on a fait des ajustements pour tenir compte des lieux de versement initial et de perception finale des intérêts sur la dette fédérale, les versements initiaux étant concentrés à des institutions ontariennes. On a aussi tenu compte des différences dans l'endroit de perception et de paiement des taxes de vente.

L'auteur de la première étude conclut, pour 1990 et 1991, à un transfert positif vers le Québec de 0,7 % de son PIB[6]. Dans la deuxième étude qui s'apparente à la première sur le plan méthodologique, Peter Leslie n arrive au même pourcentage[7]. Les coupures annoncées et à venir dans le

---

5. David M. Brown, « Efficiency, capital mobility, and the economic union », David M. Brown et al. (dir.), Free to Move, C.D. Howe Institute, Série « The Canada Round » n° 14, 1992, p. 38-98.

6. M.C. McCracken, The Distribution of Federal Spending..., Paper n° 1, vol. 1, préparé par Informetrica pour le ministère des Affaires intergouvernementales, gouvernement de l'Ontario, novembre 1993.

7. P.M. Leslie, « The Fiscal Crisis of Canadian Federalism », dans P. M. Leslie et al., A Partnership in Trouble, C.D. Howe, 1993, p. 1-86.

dernier budget Martin nous incitent à conclure que le Québec, province relativement pauvre, est sur le point de devenir contributeur net dans le régime fédéral. Il le serait cette année en ce qui concerne le régime d'assurance-chômage : beau résultat pour une province dont les taux de chômage dépassent de beaucoup la moyenne canadienne !

Une troisième étude publiée en 1993[8] conclue à un transfert net plus élevé vers le Québec que celui des deux premières études, mais son hypothèse de travail sur la politique énergétique du fédéral vient gonfler ce résultat. Le même biais est aussi présent dans les deux premières études. Alors que nombre d'économistes québécois critiquent l'effet de la politique énergétique sur le développement économique du Québec en faisant voir comment cette politique a nui au développement de notre industrie pétrochimique et des industries qui en dépendent, Mansell et Schlenker en restent au transfert financier de courte durée lequel, d'une importance certaine, contribue de façon importante aux sommes qui ont été tranférées vers le Québec.

D'autres études ont présenté des données qui indiquent que le solde dont profite le Québec de sa participation dans le Canada est en déclin. Selon la dernière étude disponible, celle que C. Lamonde et P. Renaud ont effectuée pour le compte du ministre délégué à la Restructuration, le gouvernement fédéral tirera en revenus 896 millions $ de plus qu'il ne dépensera au Québec durant l'année 1995-1996. Cette somme passera à 3,6 milliards $ en 1996-1997.

En 1993, le gouvernement libéral du Québec nous indiquait :

8. R. Mansell et R. Schlenker, « The Provincial Distribution of Federal Fiscal Balances », *Canadian Business Economics*, vol. 3, n° 2, 1995, p. 3-22.

qu'alors que les transferts fédéraux en espèces représentaient 28,9 % des revenus budgétaires du gouvernement du Québec en 1983-1984, ils ne comptent plus que pour 21,6 % des revenus en 1992-1993. Si la structure des programmes de transferts aux provinces n'est pas modifiée, on prévoit qu'ils ne devraient représenter que 15,9 % des revenus budgétaires ne 1997-1998[9].

On sait maintenant que le transfert social canadien du dernier budget fédéral vient diminuer davantage ces prévisions.

Selon une étude réalisée pour le compte du Conseil des Premiers ministres des Provinces atlantiques[10] qui repose sur une compilation d'environ 80 % des dépenses fédérales (incluant les paiements de transfert), on se rend compte que c'est au Québec que la dépense est la plus faible. Si on exclut les paiements de transfert, le Québec est bon avant-dernier, tout juste avant le Yukon.

Et ce n'est certainement pas par des investissements en infrastructure que le Québec sort gagnant dans le régime fédéral. Le Québec compte pour 23,7 % des revenus d'Ottawa alors qu'entre 1963 et 1993 il n'a reçu que 18 % des investissements des ministères fédéraux. Et la situation se détériore puisque, depuis 1984, la part du Québec dans ces investissements fédéraux se situe en moyenne à 15,9 %. Notons aussi que la contribution du Québec à la construction des infrastructures du Canada, largement terminée avant les années 1980, était supérieure à sa contribution actuelle au gouvernement fédéral. Osons espérer que l'on

---

9. Gouvernement du Québec, *Les finances publiques au Québec : vivre selon nos moyens*, Québec, ministère des Finances/Conseil du trésor, 1993, p. 52.
10. *Federal Expenditures as a Tool for Regional Development*, mai 1990.

tiendra compte de cela dans les négociations sur le partage de la dette.

Conclusion

Dans le nouveau contexte mondial d'intégration économique formelle et informelle, la performance du Québec n'est pas liée à la taille de son économie. Le traitement national, la non-discrimination et le droit d'établissement que prévoient la participation à l'Organisation Mondiale du Commerce et l'ALENA ainsi que les liens établis par le commerce intra-industrie, bref l'intégration économique informelle, font que les marchés nord-américains et mondiaux nous sont accessibles dans la mesure où nous y sommes compétitifs. La protection accordée par le marché commun canadien est largement disparue : il n'y a aucun avantage d'y demeurer comme province.

L'économie du Québec a atteint une masse critique qui permet à ses entreprises de se spécialiser et d'être concurrentielles sur son marché domestique tout comme à l'extérieur dans certains domaines. Le Québec peut conserver cette force.

D'ailleurs, selon mes calculs récents, le taux global d'autosuffisance du Québec s'est maintenu durant les années 1980 au niveau de 58 % en ce qui concerne les biens, et de 85 % en ce qui concerne les services, domaine dans lequel il accuse malgré tout un déficit important avec l'Ontario. Il nous faut appliquer un haut taux d'escompte aux prévisions apocalyptiques qu'on nous sert et ressert constamment sur les effets de la souveraineté sur l'économie du Québec.

Le succès du Québec tient davantage à la création d'une dynamique interne, à l'établissement d'un contrat social axé sur l'emploi, à la poursuite collective du développement économique, social, culturel et linguistique. La poursuite d'un modèle plus redistributif que celui que l'on voit poindre en Alberta, en Ontario et à Ottawa, et l'application réussie des politiques d'entrepreneurship, d'innovation, de formation des ressources humaines et de commerce international. Le tout reposant sur une acceptation largement partagée d'objectifs est plus probable dans un Québec souverain que dans un Québec province comme les autres, province où résiderait la plus grosse minorité d'un Canada anglophone si nous ne disons pas OUI à la question qui nous sera posée dans le référendum.

L'ÉCONOMIE ET L'INDÉPENDANCE : LE RECOURS AUX NOUVELLES THÉORIES

Pierre-André Julien *

Dans leur approche du problème de l'indépendance du Québec, les économistes fédéralistes ont tendance à recourir ou à s'en tenir à divers éléments tirés de la théorie néoclassique tant macro que microéconomique, alors que ceux qui sont indépendantistes utilisent plus fréquemment les nouveaux concepts ou théories plus complexes, notamment tirées de la nouvelle économie industrielle et du développement régional, et impliquant entre autres divers éléments sociologiques et anthropologiques. Cela explique qu'il y ait souvent un dialogue de sourds entre les deux points de vue, puisque les théories s'opposent ou partent de prémisses fort différentes.

* Centre de recherche en économie et gestion des PME, Université du Québec à Trois-Rivières.

L'ÉCONOMIE ET L'INDÉPENDANCE

Les théories néoclassiques

Par exemple, pour les aspects macroéconomiques, les économistes néoclassiques se réfèrent encore à la théorie des avantages comparatifs pour dire qu'il est toujours préférable de ne pas ériger de nouvelles barrières quelles qu'elles soient. Ils partent implicitement du théorème de Heckscher-Ohlin pour expliquer, par exemple, les revenus inférieurs des Québécois par rapport aux Ontariens à cause, en particulier, de leur plus faible mobilité. Ils croient, en outre, que l'indépendance va accentuer ces comportements nuisibles. De plus, ils considèrent que les grands ensembles économiques sont toujours supérieurs aux plus petits. Ils complètent d'ailleurs cette analyse par une croyance presque mythique à la théorie des économies d'échelle (de même que celles touchant les économies de champs et de variété) qui ne peuvent que favoriser les très grandes entreprises et par conséquent les grands gouvernements.

Pourtant la théorie des avantages comparatifs est une théorie éminemment statique. Elle doit donc être nuancée, par exemple, à la lumière des changements technologiques très rapides que l'on connaît et qui affectent tous les paramètres. Ou, en d'autres termes, si cette théorie était toujours valable, l'activité économique du Portugal, l'exemple classique des manuels d'économie, serait à peu près toujours limitée à produire du vin, laissant à l'Angleterre le soin de lui vendre tous les produits industriels dont elle a besoin. On sait que le Portugal a pu évoluer, alors que l'économie britannique a pris de plus en plus de retard vis-à-vis de ses grands concurrents de la CEE. L'expérience du Japon, dont la richesse est assise depuis fort longtemps sur le protectionnisme, ou les multiples barrières indirectes que les pays continuent d'élever, devraient aussi faire réfléchir.

PIERRE-ANDRÉ JULIEN

Le libre-échange ne vaut que si les parties ont un système économique suffisamment fort pour pouvoir en changer les termes lorsque l'équilibre se transforme par de nouvelles découvertes. Dans ce cas, l'intervention d'un nouvel État au service de son économie peut être nécessaire pour accélérer ce changement. Comme le disait Maurice Allais[1], prix Nobel d'économie de 1988, une libéralisation des échanges sans aucune protection politico-économique provient d'une « idéologie simplificatrice et destructrice... sinon une gigantesque mystification ».

Il en est de même pour la théorie des économies d'échelle. Les économies de la grande taille, qu'elles proviennent d'un pouvoir d'achat supérieur, d'une meilleure utilisation des facteurs de production ou d'un report des dépenses vers les paradis fiscaux dans le cas des multinationales, sont le plus souvent compensées par la croissance parallèle des « déséconomies » d'échelle ; celles-ci sont suscitées notamment par la bureaucratisation qui limite la flexibilité nécessaire face aux changements[2]. Plusieurs études ont montré que les économies d'échelle valaient peu en période de changement rapide[3]. La grande taille entraîne divers coûts d'ajustements, de transformations ou encore de

---

1. M. Allais, « Le libre-échange, réalités et mythologies », *Le Figaro*, 5 mars 1993.
2. B. Gold, « Changing perspectives on size, scale and return : an interpretative study », *Journal of Economic Literature*, mars 1981, p. 87-89.
3. Y compris les économies d'échelle techniques, liées à la « loi des deux tiers » (les coûts n'augmentent que de deux tiers par rapport à la croissance de la production) dans les productions à biens relativement homogènes (comme, par exemple, dans les cimenteries ou les aciéries) qui ne fonctionnent plus lorsque la technologie évolue, comme l'ont démontré les petites aciéries italiennes dans la région de Brescia ou celles américaines autour de Pittsburgh qui ont supplanté les grandes aciéries un peu partout.

réorientations, bref différents coûts d'inertie qui annulent les économies d'échelle[4]. Déjà en 1939, Stigler avait noté que les PME compensaient les désavantages de la petite taille et donc de l'absence d'économies d'échelles par une flexibilité particulière[5]. Des travaux empiriques ont prouvé ce marchandage entre économies d'échelle et flexibilité expliquant la performance particulière des PME dans les dernières décennies[6]. Mais la lecture de la richesse comparative des économies nationales montre déjà que la petite taille, comme dans le cas de la Suède ou du Danemark, n'est pas synonyme de pauvreté.

Pourtant, les théories traditionnelles ont été fortement critiquées par divers économistes bien connus[7]. De plus, ces théories tiennent peu compte des nouveaux concepts mésoéconomiques qui amènent à reposer le problème de l'indépendance du Québec sur de nouvelles perspectives et à voir ainsi les défis de la croissance d'une petite économie d'un nouvel œil.

---

4. M. Marchesnay, *Analyse dynamique et théorie de la finance*, Thèse d'État, Paris, 1969 ; J.P. Gould., « Ajustment costs in the theory of investment of the firm », *Review of Economic Studies*, 1969, n° 36, p. 138-151 ; P.A. Julien et C. Lafrance, « Toward the formalisation of " Small is Beautiful ". Societal effectiveness versus economic efficiency », *Futures*, juin 1983, p. 211-221.

5. Y. Ijiri et H. Simon, *Skew Distributions and the Sizes of Business Firms*, Amsterdam, North Holland, 1977.

6. D. E. Mills et L. Schumann, « Industry structure with fluctuating demand », *American Economic Review*, vol. 75, n° 4 (1985) p. 758-767 ; B. Carlsonn, « The evolution of manufacturing technology and its impact on industrial structure : an international study », *Small Business Economics*, vol. 1, n° 1 (1989) p. 21-37.

7. T. Balough, *The Irrelevance of Conventional Economics*, New York, Liveright/Norton, 1982 ; A. Eichner, « Can economics become a science ? », *Challenge*, vol. 29, n° 5 (1986) p. 4-12 ; N. Kaldor, « What is wrong with economic theory », *The Quarterly Journal of Economics*, vol. 89, n° 3 (1975), p. 347-358.

PIERRE-ANDRÉ JULIEN

Les nouvelles théories économiques

Parmi les nouveaux concepts, on a par exemple la théorie élargie des « coûts de transactions » que le grand Alfred Marshall lui-même avait envisagée au début du siècle, mais qui avait été oubliée ; la théorie des « milieux innovateurs » étudiée par les économistes de la nouvelle économie régionale ; et enfin l'importance du temps et donc de « l'apprentissage » considéré déjà par G.L.S. Shackle dans les années 1950.

La théorie des coûts de transaction

Dans le cas de la théorie des coûts de transactions, si les économistes orthodoxes ont bien décrit les coûts, par exemple, de recherche d'information sur le marché pour savoir s'il est préférable de faire ou de faire faire[8], ils n'ont pas tenu compte des coûts, et surtout des bénéfices, des transactions « hors marché ». Or, une bonne partie des échanges non systématiques entre les entreprises s'expliquent par des habitudes ou par des liens anciens (par ex. avec des collègues d'université, des parents, des amis) ou par des contacts répétés (par ex. à l'intérieur d'une même association professionnelle). Cette nouvelle façon de voir éclaire plusieurs caractéristiques de la recherche de l'information pour soutenir les nouveaux investissements et ainsi stimuler l'économie.

Ainsi, l'information suppose du temps et des coûts, mais surtout une culture partagée pour minimiser les « bruits » qui « cachent » l'information économique. Cette

8. R.H. Coase, « The Nature of the Firm », *Economica*, novembre 1937 ; A. Williamson, « The Modern Corporation : Origins, Evolution, Attribute », *Journal of Economic Literature*, vol. XIX, 1981.

façon de voir amène à dépasser les simples calculs d'efficacité à la Williamson pour se placer plutôt dans une optique d'efficience à long terme ; elle suppose donc un langage relativement commun et une culture partagée, à la base des relations personnalisées et de la confiance et surtout la formation de réseaux et de milieux entreprenariaux en bonne partie à la base du développement économique des dernières décennies.

La dynamique des milieux entreprenariaux

On sait que la multiplication des entreprises et la croissance d'un grand nombre d'entre elles dans une économie est fonction de la complémentarité d'autres entreprises avec qui elles travaillent, soit en aval (par exemple, les équipementiers, les banques), soit en amont (les transporteurs, les distributeurs). Une entreprise a beau produire un bien demandé à bon prix et de bonne qualité, si le camionneur ne livre pas à temps ou si les commerçants ne font aucun effort pour présenter ce bien, les ventes peuvent être faibles. L'économie doit donc comprendre tout un ensemble d'entreprises dynamiques qui s'épaulent mutuellement, à l'intérieur de ce qu'on appelle les milieux entreprenariaux ayant pour effet le développement de chacun et, par ricochet, de toute l'économie.

Les milieux entreprenariaux, ce sont des groupes d'acteurs économiques et d'entreprises présentant un ensemble d'interdépendances fonctionnelles fondées sur leur appartenance à un même territoire économique à base d'information structurante. Ces interdépendances favorisent un processus d'*apprentissage collectif* par l'échange d'information, la réduction de l'incertitude du fait de cet échange et l'innovation systématique partagée. Pour que les

milieux et ainsi l'économie entière deviennent particulièrement innovants, il faut qu'il existe dans l'économie :
   1) Un *échange d'informations* structurées le plus souvent
en réseaux plus ou moins formels pour répondre aux
multiples besoins de développement des entreprises. L'information échangée peut être d'affaire, financière, commerciale, technologique... Les réseaux permettent le développement de normes plus ou moins tacites ou de règles de
toutes sortes, des conventions, pour maintenir la stabilité
dynamique du système. Cette cohérence encourage ainsi le développement
d'une certaine *identité collective économique* par divers rap-
prochements et ententes entre les entreprises du territoire
économique pour mieux conquérir des marchés extérieurs.
Cette cohérence s'appuie sur ce qu'on a appelé un système
de coopération-concurrence à base de concertation mais
aussi d'encouragement au développement, tout en mettant
de côté les entreprises inefficaces[9].
   2) Une *concertation* relativement systématique, formelle
ou informelle, entre différentes firmes aux expertises
diverses (production, conseil, distribution, équipement) de
façon à échanger de l'information complexe technologique,
commerciale et concurrentielle afin de réduire cette
incertitude ou de mieux la contrôler.
   3) Le *développement d'une culture technique* multipliant les
acteurs orientés vers l'innovation et la technologie. Les
milieux entreprenariaux facilitent systématiquement le
partage du savoir et du savoir-faire. Par la confiance qui se
développe entre les acteurs, ces échanges encouragent la
complémentarité du savoir et ainsi l'innovation diffuse entre
les entreprises.

---

9. P.-A. Julien, « L'entreprise partagée : contraintes et opportunités »,
Gestion, vol. 19, n° 4 (1994), p. 48-58.

Cette approche de milieux entreprenariaux et de réseaux est la seule pouvant permettre de comprendre la formation des districts industriels qui expliquent la dynamique de la « troisième Italie » (entre Florence, Bologne et Venise) ou de zones en très forte croissance comme la région de Baden-Wüttenberg en Allemagne ou la Silicon Valley aux États-Unis[10]. Cette approche peut expliquer aussi les phénomènes plus proches de la Beauce ou de la région des Bois-Francs-Drummondville au Québec, avec leur système de normes implicites gérant beaucoup de relations entre les firmes et favorisant la mise en commun de plusieurs ressources[11].

4) La *multiplication d'idées économiques nouvelles* nécessaires pour se distinguer sur les marchés économiques. En effet, on sait qu'à peu près tout le temps *l'innovation est un phénomène éminemment collectif*, alors que l'on croyait que la recherche pouvait surgir spontanément ou de façon isolée en vase clos[12]. Alfred Marshall, en 1919, avait déjà anticipé

---

10. A. Bagnasco, A. et C.-F. Sabel (éd.), *PME et développement économique en Europe*, Paris, La Découverte (1994) ; S. Conti et P.-A. Julien (dir.), *Miti e realtà del modello italiano. Letture sull'economia periferica*, Bologne, Patron Editore, 1991 ; F. Pyke et W. Sengenberger (dir.), *Industrials Districts and Local Economic Regeneration*, Genève, Institut International d'Études, 1992.

11. Par exemple, M. Carrier (1992) a montré qu'en Beauce il existait une entente tacite entre les firmes pour que chacune d'entre elles ne puisse débaucher de bons employés dans les autres firmes en leur offrant un meilleur salaire. C'est ce qui a permis à la région d'avoir de meilleurs prix sur les marchés extérieurs à la région et ainsi de maintenir les emplois. Mais cette norme a aussi un autre avantage pour les travailleurs, puisqu'elle suppose en retour que les entreprises s'entendent pour réengager le mieux possible les travailleurs licenciés d'une entreprise en difficultés, leur assurant ainsi une meilleure sécurité d'emploi.

12. L'innovation spontanée ou le fonctionnement de la sérendipité est rare. Cela ne veut pas dire toutefois que l'analyse de l'information

cette façon de voir les choses en disant que « les idées devaient être dans l'air », pour être saisies par les entrepreneurs en alerte, que ces idées provenaient d'une foule de petites informations qui en se recoupant donnaient un signal d'innovation potentielle. C'est pourquoi il expliquait que la dynamique économique ne pouvait que s'expliquer par ce qu'il appelait une « atmosphère industrielle » stimulante[13]. C'est le contact régulier des industriels, si possible avec des chercheurs, des consultants, des équipementiers dynamiques, des clients insatisfaits, etc. qui fait que les opportunités se développent et se concrétisent par la suite dans les investissements.

Un fonctionnement collectif et « stimulateur » de l'information permettra de diminuer les échecs et de favoriser les réussites, et conséquemment de multiplier les firmes innovantes, les plus susceptibles de créer des emplois et de stimuler l'économie[14]. Bref, les milieux entreprenariaux créent un processus d'apprentissage et d'innovation collective favorisant le changement interne et externe dans les entreprises et dans l'économie.

---

précédent l'innovation ne peut pas se faire dans des laboratoires privés, mais que l'origine de l'innovation est à peu près toujours collective. (Voir M. Amendola et J. L. Gaffard, « Markets and organizations as coherent systems of innovation », *Research Policy*, n° 23 (1994), p. 627-635.)

13. A. Marshall, Industry and Trade, Londres, MacMillan, 1919, cité par D. Foray, « The secrets of industry are in the air », communication au colloque international des HÉC-Montréal sur les « Réseaux innovateurs », 1-3 mai 1990.

14. P.-A. Julien, « Appropriation de l'information, intercommunication et développement régional », communication au colloque de l'Association canadienne des sciences régionales, UQAM, 3-5 juin 1995.

L'ÉCONOMIE ET L'INDÉPENDANCE

Temps, apprentissage et cohérence socio-économique

Évidemment, la dynamique des milieux dépend de la variété et de la qualité des ressources de celui-ci (présence de firmes fortement innovatrices et de centres de recherche dynamiques et à l'avant-garde) et de sa densité (c'est-à-dire de la facilité et de l'intensité des contacts entre les membres du milieu), mais aussi du temps. En effet, l'innovation a besoin de *temps* pour développer des métiers et des coopérations stimulatrices, soit pour soutenir systématiquement l'apprentissage économique collectif. Le temps est nécessaire pour créer des *habitudes* de travailler ensemble tout en conservant le poids de la concurrence.

Cela s'explique parce que les comportements économiques « socialisés » dans les réseaux et les milieux entreprenariaux ne peuvent bien fonctionner que s'ils apprennent un langage commun à base d'une culture commune conduisant à différentes formes de solidarité pour soutenir les processus d'apprentissage ; ces processus d'apprentissage, normalement « en double boucle [1]»[5], utilisent de l'information partagée et créent en retour une nouvelle information génératrice de changement. L'apprentissage soutient l'échange d'information systématique et y ajoute des processus de transformation du savoir vers le savoir-faire ou le métier en transformation régulière. Cette façon de voir s'oppose à la théorie utilitariste des économistes traditionnels qui affirment que tout est « rationnel » et que l'action découle nécessairement de l'intérêt personnel. Cet apprentissage collectif par l'intercommunication demande

---

15. R. Jacob et J. Ducharme, *Changement technologique et gestion des ressources humaines*, Boucherville, Gaëtan Morin, 1995.

des institutions de formation, de veille et de transfert d'information au service de l'économie nationale :

1) La formation est un préalable nécessaire pour pouvoir utiliser l'information ou développer l'apprentissage.

2) La formation doit toutefois être poursuivie et nourrie, notamment la formation de la direction des entreprises, par l'information fournie par des antennes de veille (universités, centres de recherche).

3) Mais l'information obtenue ou développée dans ces antennes pourrait être maintenue en vase clos si elle n'était pas systématiquement fournie aux firmes. Une bonne façon de faciliter le partage de l'information est de multiplier les intermédiaires, des courtiers en information, capables de bien comprendre autant les créateurs que les demandeurs d'information, de traduire les offres et les demandes des uns et des autres et graduellement de les habituer à travailler ensemble. Encore ici, tout cela suppose le développement de langages communs, d'une culture socio-économique partagée, d'une *cohérence socio-économique* dynamique.

L'exemple d'économies particulièrement efficaces comme celles de l'Allemagne, du Japon ou d'un plus petit pays comme la Suède peut nous aider à comprendre l'importance de cette cohérence socio-économique. En effet, l'Allemagne et le Japon n'ont pas de grandes ressources naturelles importantes qui pourraient peut-être expliquer leur richesse ; et l'économie de la Suède, pas plus performante que celle du Canada, est de moins en moins reliée à ces ressources. De plus, les technologies de ces trois pays ne sont pas très supérieures à celles des États-Unis par exemple. On a même montré que le nombre de robots ou de machines-outils à contrôle numérique n'est relativement pas supérieur à la France ou aux États-

Unis[16]. Aussi, la supériorité de ces pays ne peut s'expliquer que par la forme d'organisation économique et par les comportements socio-culturels qui se sont formés graduellement et qui continuent à évoluer, ce que Simon appelle « l'organisation des marchés [17]», avec l'aide « d' institutions » nationales, comme le dit North[18].

La théorie économique et la prise en main de l'économie par les Québécois

Cette nouvelle approche permet de comprendre ce qui s'est passé depuis vingt ans au Québec avec ce qu'on a appelé le « Maître chez nous » ou l'affirmation nationale et qui annonce déjà ce qui pourrait se passer avec l'indépendance si celle-ci augmente la cohérence socio-économique par une information et une intercommunication adaptées à la culture d'ici et aux besoins des entreprises et autres institutions économiques québécoises.

---

16. R.E. Cole, « Economy and culture : the case of U.S.-Japan economic relations, dans K. Hasyashi (dir.), *The US-Japanese Economic Relationship Can it Be Improved*, NewYork, New York University Press, 1989 ; M. Reed et M. Hughes (dir.), *Rethinking Organization, New Direction in Organization Theory Analysis*, Newbury Park, Sage, 1992.

17. Ainsi, H.A. Simon (dans « Organizations and markets », *Journal of Economic Perspectives*, vol. 5, n° 2, [1991], p. 38) ne peut expliquer autrement que par l'organisation culturelle différente le cas d'une usine anciennement de General Motors équipées déjà d'équipements de pointe qui, une fois prise en charge par Toyota, s'est mise à produire le même nombre d'automobiles avec 45 % moins d'heures/employés, en conservant le même syndicat. Comparé aux autres usines les plus modernes et les plus nouvelles de General Motors, le gain était de 30 % et, par rapport aux usines de Toyota au Japon, le coût était de 15 % seulement de plus.

18. D.C. North, « Institutions », *Journal of Economic Perspectives*, vol. 5, n° 1, 1991, p. 97-112.

Déjà, cette affirmation s'est concrétisée par un contrôle accru de l'économie dans les dernières décennies, comme l'a montré François Vaillancourt de l'Université de Montréal[19]. Il observe que ce mouvement de « québécisation » de l'économie semble s'accélérer, alors que le contrôle francophone est passé d'environ 40 % au début des années 1960 à un peu moins que 65 % maintenant. Cette croissance du contrôle francophone a été particulièrement important dans les forêts, la construction, les mines et les industries manufacturières. Les études de Vaillancourt montrent aussi que c'est la création de nouvelles entreprises et la croissance des petites entreprises (moins de 50 employés, selon ses distinctions) qui explique le mieux cette tendance.

La dynamique des PME au Québec

On sait maintenant qu'une bonne partie de la croissance des emplois et de la restructuration de l'économie québécoise et de certaines régions (comme la Beauce ou les Bois-Francs) provient des PME. Par exemple, alors que les petites entreprises se multipliaient entre 1986 et 1992, les grandes et les moyennes entreprises, souvent d'origine étrangère, diminuaient. On peut voir l'effet de cette transformation structurelle au plan de l'emploi, alors que les firmes de moins de 200 employés ont augmenté leur poids dans l'emploi de 1983 à 1993, sauf durant la longue récession de 1991-1993.

Ajoutons cependant que ce dynamisme des PME au Québec depuis vingt ans se retrouve à peu près dans tous

---

19. F. Vaillancourt et M. Leblanc, *La propriété de l'économie du Québec en 1991 selon le groupe d'appartenance linguistique*, Office de la langue française, coll. Langues et Société, 1983.

les pays industrialisés. Toutefois, il a été plus fort au Québec que dans les autres provinces[20]. Il faut dire aussi que ce renversement de la tendance à la concentration des entreprises qu'on connaissait presque depuis la révolution industrielle n'a pas entraîné une diminution de la compétitivité des entreprises, comme on aurait pu le penser.

Au contraire, ce sont les petites entreprises (moins de 20 employés) qui ont vu leur productivité augmenter le plus rapidement entre 1978 et 1990, suivies des firmes de plus de 500 employés et plus. Mais cette croissance de la productivité fut deux fois plus rapide qu'en Ontario, et 55 % plus élevée que la moyenne canadienne. Comme les salaires au Québec n'ont pas augmenté au même rythme, la compétitivité des entreprises québécoises a maintenant dépassé celle des autres provinces dans beaucoup d'industries[21].

D'autres études que nous avons réalisées montrent aussi que les PME se modernisent plus rapidement que l'on pensait et plus vite que dans le reste du Canada. Par exemple, le nombre de PME manufacturières recourant à trois technologies informatisées de production et est passée de moins de 6 % en 1989 à près de 16 % en 1992 et à 49,8 % en 1994[22].

---

20. GREPME, *Les PME. Bilan et perspectives*, Paris, Economica, Québec, Les Presses interuniversitaires, 1994.
21. P.-A. Julien et M. Morin, *Mondialisation et PME québécoises*, Québec, Les Presses de l'Université du Québec, 1995 (à paraître).
22. P.-A. Julien et J.-B. Carrière, « L'efficacité des PME et les nouvelles technologies », *Revue d'Économie Industrielle*, n° 67, 1994, p. 120-135 ; J.-B. Carrière, « Profil technologique de la PME manufacturière québécoise, 1995 », Centre francophone pour l'informatisation des organisations, Québec, mars 1995.

On peut aussi vérifier ce dynamisme des entreprises québécoises, notamment des PME, du côté de l'ouverture internationale. Ainsi, si le nombre de PME manufacturières exportatrices n'a pas beaucoup augmenté dans les dernières années (le pourcentage se tenant autour de 14 %), celles qui le font ont fortement accéléré leurs échanges extérieurs en particulier dans les secteurs modernes des produits de transports, d'équipement et de plastique. Nos données montrent que le marché canadien est de moins en moins intéressant et que l'ALÉ (Accord de libre-échange Canada-États-Unis et la dévaluation du dollar canadien ont donné un coup de fouet aux tendances traditionnelles nord-sud de l'économie québécoise que les barrières douanières canadiennes avaient plus ou moins bloquées[23].

L'indépendance et la croissance économique du Québec

À partir des théories discutées plus haut, on peut penser que ce dynamisme relativement nouveau des entreprises québécoises s'explique par la formation de réseaux économiques « québécois » et par le développement de milieux entreprenariaux un peu partout au Québec. Ces réseaux, ce sont une certaine symbiose entre le Mouvement Desjardins ou la Banque Nationale, les grandes firmes de conseil en ingénierie ou en comptabilité, les sociétés étatiques comme la SDI ou le CRIQ, les centres de recherche ou de valorisation comme les Centres spécialisés des cégeps, et les entreprises québécoises. C'est aussi la « québécisation » de certaines associations patronales, comme l'AMQ, ou le

---

23. P.-A. Julien, A. Joyal et L. Deshaies, « SMEs and international competition : Free trade agreement or globalization? », *Journal of Small Business Management*, vol. 32, n° 3, 1994, p. 52-65.

développement d'associations typiques comme le Groupe-
ment québécois des entreprises regroupant les PME parmi
les plus dynamiques. C'est une certaine entente entre les
syndicats et les patrons pour certains objectifs, allant jusqu'à des interventions directes dans l'économie avec le
Fonds de Solidarité. Bref, c'est le développement de ce
qu'on a appelé plus haut la cohérence socio-économique.
Cette cohérence a donné lieu à ce qu'on a appelé le
« Québec Inc. ». Mais ce système est encore réservé aux
grandes entreprises et aux grandes institutions. La cohérence dont nous parlons, qui appartient surtout aux petites
entreprises et aux institutions territoriales (en région) est
beaucoup plus que cela et doit mener au développement
d'un « modèle » de l'économie québécoise basé justement
sur des milieux entreprenariaux de plus en plus nombreux,
comme en Beauce ou dans la région de Drummondville-
Victoriaville, en prenant en compte toutes les énergies et la
culture propre d'ici, aidé de l'apport, évidemment, des
Néo-Québécois s'intégrant à cette dynamique.

Au contraire, le maintien d'un gouvernement fédéral
puissant aux objectifs orientés par les intérêts de la majorité
économique canadienne ne peut que nuire au développement de réseaux et ainsi de milieux typiquement québécois.
On le voit par exemple par la création du réseau canadien
« CanMot » qui n'envoie ses messages électroniques qu'en
anglais et dont le contenu ne tient compte que très marginalement des intérêts du Québec ; et cette tendance aux
réseaux pan-canadiens (et donc le plus souvent « anglophone ») se répandra de plus en plus avec l'autoroute électronique contrôlée constitutionnellement par Ottawa. On le
voit aussi dans le cas de la formation et du développement
de la main-d'œuvre au Québec : alors que tous les intervenants socio-économiques, y compris le Conseil du patronat,

réclament le contrôle au Québec, le gouvernement fédéral refuse et refusera probablement toujours un tel transfert. Cela peut s'expliquer par des considérations politiques, mais aussi par l'impossibilité des dirigeants fédéraux à prendre en compte la différence québécoise à cause de la fragilité même du Canada. De plus, le double palier gouvernemental complique sérieusement la vie des PME et multiplie les tracasseries administratives et la recherche d'information nécessaire à la formation de réseaux adaptés aux besoins des PME québécoises.

Conclusion

La clef du développement de l'économie québécoise est le contrôle de l'information et des processus d'apprentissage dans des institutions permettant le développement de milieux entreprenariaux. La formation de ces milieux n'est possible que s'ils s'organisent autour, stimulent et profitent de la culture particulière des entreprises d'ici. Or cela devrait être grandement facilité par l'indépendance du Québec ou du moins par une décentralisation que le Canada semble incapable de faire, comme l'ont prouvé les dernières tractations du lac Meech ou de Charlottetown.

Le contrôle de l'information est à la base des économies les plus dynamiques, comme on l'a vu pour les cas de l'Allemagne, le Japon ou la Suède. On peut aussi penser à la troisième Italie qui s'est développée à cause de sa cohésion sociale en l'absence du plan Marshall réservé au nord. Encore une fois, ces modèles ne peuvent être expliqué à partir des théories économiques traditionnelles. Ils doivent prendre en compte la cohérence sociale fondée sur le dynamisme de chaque entreprise dans un ensemble de dynamismes articulés les uns sur les autres.

L'approche traditionnelle qu'utilisent trop souvent les économistes fédéralistes est incapable de comprendre cela car elle ne tient pas compte des aspects socio-économiques à base de la cohérence économique[24]. Ce qui fait que dans cette question de l'indépendance du Québec, il est très difficile sinon impossible de réconcilier les deux points de vue : ou bien on s'en tient aux théories traditionnelles et on peut justifier les avantages du fédéralisme (et pourquoi pas de la disparition du Canada dans un grand tout nord-américain ?), ou bien on s'appuie sur les nouvelles théories et on peut mieux comprendre les avantages de créer par l'indépendance une cohérence socio-économique capable de multiplier le dynamisme économique des régions et du Québec entier.

---

24. Gary Becker, entre autres, a bien essayé de tenir compte d'éléments psychologiques et sociologiques dans l'approche néoclassique, mais il l'a fait, d'une part, en refusant de critiquer les prémisses de la théorie économique traditionnelle, telles que celles de la maximisation des préférences ou de la rationalité des consommateurs, et d'autre part, en simplifiant à l'extrême les concepts sociologiques ou psychologiques. C'est pourquoi des sociologues comme Pierre Bourdieu (« Réponse aux économistes », *Économie et sociétés*, vol. XVIII (1984) p. 23-32) le taxent « d'inconscience sinon d'une belle inculture » ne comprenant rien à la réalité des rapports sociaux. (Voir aussi P. Dumouchel et J.-P. Dupuy, *L'enfer des choses. René Girard et la logique économique*, Paris, Seuil, 1979.)

L'OUVERTURE INTERNATIONALE

Jocelyne Couture * *et Kai Nielsen* **

Introduction

L'époque est à l'ouverture, à l'internationalisation, à la mondialisation. Les frontières cessent d'être des horizons, des barrières tombent qui, traditionnellement, séparaient les peuples et, dans tous les domaines, par-delà les mœurs et les coutumes locales, se dessine graduellement la forme d'un système global d'échange, de coopération et peut-être même d'entraide. Sous le signe des grandes unions économiques et politiques pourtant, les citoyens du monde ne chantent pas en chœur leur fraternité reconstruite. Forcés, par la complexité des nouveaux arrangements qui affecteront leur mode de vie, de s'en remettre au jugement des experts qu'ils n'ont pas élus, laissés pour compte de décisions qui, même lorsqu'elles leur sont profitables, se prennent sans eux, tenus à distance d'un pouvoir qui, même lorsqu'il est éclairé, n'est plus le leur, privés des privilèges,

* Département de philosophie, Université du Québec à Montréal.
** Département de philosophie, Université de Calgary.

mais aussi des devoirs afférents à une véritable participation démocratique, les citoyens du monde occidental contemporain se retrouvent désinvestis de cela même qui aurait pu être au fondement de leur solidarité, à savoir le sentiment de contribuer à l'édification et au fonctionnement de cette nouvelle société qui sera la leur. L'internationalisation suit son cours, mais le statut de citoyen tombe en désuétude et s'il y a des lendemains qui chantent, ce ne sont pas ceux d'une internationale démocratique.

Les citoyens du monde réagissent différemment à cette situation. Certains travestissent leur désenchantement en un constat : le monde, entré dans sa phase post-moderne, serait dominé par une incommensurabilité des valeurs et des croyances telle que l'exercice démocratique lui-même devient illusoire et vain. Comme si, sous le coup d'une destinée implacable, l'ouverture au monde nous condamnait sans recours à l'isolement et à la passivité. D'autres, et les intellectuels en sont souvent, épousent la logique de la diaspora ; leur cœur et leur énergie vont à une communauté qui déborde les cadres institutionnels des sociétés politiques et se fonde sur certains intérêts spécifiques auxquels ils accordent une priorité. Tournés vers des tâches qu'ils jugent moins terre-à-terre, ils laissent à d'autres le soin de définir le cadre politique et social dont ils devront pourtant s'accommoder. Comme si, pour s'ouvrir au monde, il fallait se livrer pieds et poings liés aux technocrates. D'autres enfin cherchent à reconstituer le contexte où la participation démocratique pourrait retrouver son sens ; le sens selon lequel il appartient à tous les membres d'une collectivité de définir le type de société dans laquelle ils veulent vivre, de décider de ses orientations futures et de veiller au maintien des institutions grâce auxquelles leurs aspirations et leurs projets communs peuvent être entendus et exécutés. Comme si l'ouverture au monde impliquait une contribution à l'édification de ce monde et passait obligatoirement par l'affirmation préalable d'un projet et d'une identité.

Plusieurs Québécois ont déjà choisi cette dernière option ; dans cette partie du monde cela s'appelle préparer la souveraineté du Québec. À ce jour, un nombre à peu près égal de Québécois refuse d'y participer. Parmi ces derniers, figurent sans doute quelques désenchantés, spectateurs médusés du « cours des choses », frappés d'impotence à la pensée que « l'abîme de l'histoire », comme le disait Paul Valéry, « est assez grand pour tout le monde ». Leur seule conviction est qu'il n'en faut point avoir ; ils n'ouvriront vraisemblablement pas ce livre et nous n'avons, de toute façon, pas grand-chose à leur dire.

Mais tous les Québécois réfractaires à l'idée d'un Québec souverain ne sont pas de cette espèce ; parmi eux, et ils en forment sans doute la majorité, figurent des Québécois profondément attachés aux valeurs démocratiques, ouverts aux idées d'autrui et prêts à s'engager dans des projets portés par des intérêts communs. Certains doutent, et on peut les comprendre, de la possibilité de réaliser, par la voie des institutions politiques, l'idéal démocratique auquel ils adhèrent. Ils sont réfractaires à l'idée d'un Québec souverain non pas parce qu'ils sont réfractaires aux valeurs et aux solidarités qui inspirent le projet de souveraineté, mais parce que, convaincus que les organisations politiques quelles qu'elles soient entravent plus souvent qu'elles n'encouragent les aspirations légitimes des citoyens, ils se méfient, entre autres, d'un futur État québécois.

D'autres au contraire croient que les valeurs de la démocratie non seulement peuvent mais doivent d'abord et avant tout être véhiculées et entretenues dans le cadre des institutions politiques d'un État souverain capable ensuite de représenter correctement les intérêts des citoyens au niveau supra national. Ce qui les arrête face au projet d'un Québec souverain est l'absence, qu'ils y décèlent, de valeurs démocratiques et la perspective d'un détournement orchestré des institutions qui ont jusqu'à maintenant contribué, même imparfaitement, à faire respecter ces valeurs. S'il aboutissait jamais à la création d'un État, le projet de la souveraineté du Québec, conçu pour la défense et la promotion d'intérêts que tous ne partagent pas, viendrait immanquablement, croient-ils, restreindre la portée des droits et des libertés que peut et doit garantir à ses citoyens une démocratie constitutionnelle de type libéral. Comme si cela ne suffisait pas, un État québécois serait de plus incapable de faire face adéquatement à la mondialisation croissante. À supposer qu'il ne s'exclue pas lui-même de la fraternité mondiale des démocraties constitutionnelles et des bénéfices que l'avenir réserve à celles-ci, l'État québécois réussirait en tous cas à priver une large portion de ses citoyens — précisément ceux qui se verront déjà frustrés de leurs droits et libertés dans leur propre contrée — du droit de voir leurs intérêts représentés lors des arrangements internationaux. Citoyens de second ordre dans un État québécois souverain, ils ne pourraient jamais accéder au statut de citoyens du monde.

Nous partageons avec ceux qui adhèrent aux valeurs démocratiques un solide terrain d'entente ; et nous nous entendons encore mieux avec les Québécois qui de plus, et en dépit de nos récents déboires constitutionnels, demeurent convaincus que des institutions politiques peuvent et doivent contribuer à la survie de ces valeurs. Ce que nous voulons montrer ici, c'est que l'amour de la démocratie est un motif nécessaire et suffisant, pour tous les citoyens du

Québec, de préparer la souveraineté du Québec. Notre argument à cet effet est un argument minimaliste, qui ne présuppose l'existence ni d'une nation, ni d'une culture ni d'une langue, ni celle d'aucun autre intérêt commun particulier si ce n'est l'intérêt réel pour la démocratie. Comme nous l'avons déjà mentionné, nous n'avons pas grand-chose à dire à ceux qui ne croient pas en la démocratie.

Nous ne voulons pas nier par ailleurs que des intérêts communs plus substantiels rassemblent les souverainistes québécois. Non seulement nous ne voulons pas le nier mais nous voulons en tirer un second argument à l'adresse de ceux qui, au nom de la démocratie, mettent en cause les idées de nation et de culture québécoises que suppose le projet souverainiste. Nous arguerons donc, dans un deuxième temps, que plutôt que d'incriminer le projet de société qui anime, chez plusieurs Québécois, le désir d'un Québec souverain, les avocats de la démocratie et de ses institutions devraient pouvoir y reconnaître un appui de plus à la cause qu'ils défendent et une garantie supplémentaire de la voir triompher dans les circonstances changeantes qui affectent le monde contemporain.

Un intérêt réel pour la démocratie

Certains adhèrent aux valeurs démocratiques que sont l'autodétermination, la participation et le respect de l'opinion d'autrui mais ne croient pas à la valeur des démocraties, c'est à dire à la valeur des régimes politiques dont les institutions sont destinées à garantir, pour tous les citoyens, les conditions d'une participation libre et égale aux décisions qui affectent l'organisation et le fonctionnement de la société dans laquelle ils vivent. Ils croient, et ils pourraient aisément en trouver des exemples, que la participation démocratique n'est qu'un simulacre soigneusement entretenu par les politiciens et qui ne profite qu'à eux.

Plusieurs Québécois sont de cette sorte. Ils misent sur leurs propres moyens et souvent sur ceux d'une communauté en diaspora, réelle ou imaginaire, pour réaliser leurs idéaux d'autonomie, de participation et de solidarité humaine. Ils sont universitaires, artistes étudiants, syndicalistes, membres d'associations diverses où ils s'investissent généreusement. S'ils se sentent solidaires d'une nation québécoise, ils le clament haut et fort, ils rappellent la vaillance, mais plus souvent les déboires, de leurs ancêtres ; ils écoutent Michel Rivard et Beau Dommage avec leurs intimes, ils apprennent à leur enfants les beautés de la langue française et ils comptent sur la mémoire collective, qu'ils entretiennent ainsi consciencieusement, pour assurer la pérennité de la nation à laquelle ils disent appartenir.

Pendant ce temps, à Québec ou à Ottawa, des frères également confiants dans leur propre esprit d'entreprise décident du sort de la langue, de la culture et des universités, de la programmation de Radio-Canada et des contenus des manuels d'histoire. Les démocrates dans l'âme n'en ont cure, persuadés à l'avance que la politique est pourrie, que chacun est maître de sa propre destinée et convaincus, le cas échéant, que l'âme d'un peuple est indestructible. Ils ne connaissent pas le doute, et pourtant. N'ont-ils jamais entendu parler des Acadiens de l'Île du Prince-Édouard qui ne savent plus un mot de français ; des cultivateurs du Québec qui, en temps de crise sont allés chercher refuge en Nouvelle-Angleterre et dont les descendants, après trois générations, ne peuvent plus même prononcer leur nom ; de programmes de recherche mort-nés pour cause de virage technologique ; des projets de coopération et d'aide à l'étranger tombés sous un budget saisonnier ; des programmes communautaires réduits en bénévolats ; des chômeurs transformés, du jour au lendemain, en assistés sociaux ? Ce qu'il y a de commun entre tous ces cas c'est que les projets et les solidarités, nés de la vaillance et de la détermination individuelle ou même collective, meurent lorsque ceux qui les ont courageusement conçus et portés sont privés d'un pouvoir décisionnel effectif. Nos propres moyens, les seuls qui soient des moyens, sont des moyens politiques et ils ont trait au politique, c'est-à-dire à l'exercice du pouvoir. Point n'est besoin d'un coup d'État dans un régime démocratique pour prendre le pouvoir ; le pouvoir y est celui du citoyen. Et si le citoyen refuse de l'exercer, d'autres immanquablement l'exerceront à sa place.

Vouloir transcender le politique, c'est s'abandonner au pouvoir exercé par d'autres mais c'est aussi et surtout contribuer à l'épanouissement de formes non démocratiques du pouvoir politique. Dans une démocratie constitutionnelle, cela signifie contribuer à l'érosion des institutions et des valeurs démocratiques. Voilà pourquoi les démocrates dans l'âme, soucieux de voir se réaliser leurs aspirations et celles d'autrui et préoccupés de la survie des valeurs démocratiques, ne peuvent pas se permettre, s'ils sont consistants avec eux-mêmes, d'ignorer la société politique dans laquelle ils vivent. Les valeurs de la démocratie ne peuvent s'épanouir que dans un cadre institutionnel qui permet aux citoyens d'être maîtres de leur destinée mais dont l'efficacité à cet égard dépend entièrement de ce que les citoyens en fassent l'instrument de leur destinée. Celui qui possède un *intérêt réel* pour la démocratie considère qu'il en va de son devoir de citoyen que d'entretenir ainsi la vitalité des institutions démocratiques.

Les malheurs de la démocratie

Une démocratie libérale n'est pas dépourvue, contrairement à ce que plusieurs semblent croire, d'un projet de société. Le philosophe John Rawls affirme qu'une démocratie constitutionnelle de type libéral répond à l'idéal de la société conçue comme un système équitable de coopération en vue de l'avantage mutuel. L'amour de la démocratie n'est pas un oiseau volage. Il est profondément ancré, comme le suggère Rawls, dans la constatation que la vie en société permet de réaliser les bénéfices autrement inaccessibles de la coopération à la condition qu'elle soit régie par la logique même de la coopération, c'est-à-dire à la condition qu'elle offre à tous ceux qui contribuent à son fonctionnement leur juste part du surplus coopératif. Tel est le projet de société qui inspire les démocraties constitutionnelles et telles sont les sources d'un intérêt réel pour de la démocratie. Une société démocratique est une société souveraine, c'est-à-dire une société faite par et pour ses membres, où chacun est l'artisan du bien-être de tous et est publiquement reconnu comme tel dans ses devoirs comme dans ses privilèges.

Ceux qui, au Canada, ont un intérêt réel pour la démocratie veulent d'abord et avant tout vivre dans un État souverain, c'est-à-dire dans un État fait par et pour ses membres, où chacun travaille effectivement, pour le bénéfice de tous, à l'édification et au maintien d'une société équitable, prospère et harmonieuse et où chacun jouit effectivement, en retour, des avantages d'une telle société, incluant, bien entendu, les droits et les libertés prévus par la Constitution et la Charte canadiennes. Ceci indique clairement pourquoi ceux qui, au Canada, ont un intérêt réel pour la démocratie doivent aussi observer de près ce qui se passe dans l'État canadien.

L'État canadien est un État dont le fonctionnement dépend de plusieurs paliers de gouvernements dont le plus élevé est constamment amené à ignorer les paliers inférieurs qui sont aussi ceux où s'expriment le plus directement les volontés des citoyens. Il y a diverses façons, prévues par les constitutionalistes et adoptées par plusieurs États contemporains, de remédier à cette situation ; car elle est désastreuse aussi bien pour ce qui est d'une gestion authentiquement démocratique de l'État que pour la perception qu'elle induit, chez les citoyens, de leur statut et du rôle qu'ils peuvent jouer dans les affaires de l'État. L'État canadien, même parvenu à l'âge qui devrait être celui de la raison et dans un monde où il a pu observer la chute de plusieurs gouvernements autoritaires, n'a jamais cru bon de changer ses façons de gouverner. Bien au contraire, d'empiétements sur les domaines de juridiction pourtant officiellement dévolus aux provinces en décisions sciemment prises à l'encontre des intérêts et des volontés d'une majorité de citoyens, le Canada continue de progresser sur la voie d'un pouvoir centralisateur et paternaliste. Que l'État canadien soit un État fait *par* ses membres est, dans ces conditions, une vérité dont l'évidence n'a cessé de s'atténuer au fil des ans.

Qu'il soit fait *pour* ses membres est aussi devenu hautement hypothétique. Il semble que cet État, par la voix de ses plus hauts représentants, a surtout tenté, au cours des dernières décennies, de s'illustrer lui-même comme partenaire d'une « fraternité » économique mondiale, comme « nation » possédant son image de marque (en particulier, celle du multiculturalisme), et comme interlocuteur responsable sur la scène de la diplomatie internationale. Des retombées économiques promises, le bon peuple n'a vu que des budgets débilitants, en particulier pour les programmes sociaux. De solidarité nationale, il n'a vu que des incitations, rarement voilées, au mépris et à la querelle, il a vu les nations (canadienne-française et autochtones) traitées, dans les faits, comme des minorités culturelles. De diplomatie dans le règlement des conflits internes, il n'a assisté qu'à des parties de bras de fer avec des populations privées de leurs moyens. D'un système de coopération en vue de l'avantage mutuel le bon peuple n'a rien pu observer. Et le bon peuple continue de faire les frais de l'ouverture au monde de l'État canadien.

Il serait trop facile d'imputer l'entière responsabilité de cet état de choses aux divers gouvernements qui se sont succédé à la tête du Canada. Certes, ils n'ont pas fait grand chose pour encourager la participation démocratique et pour entretenir le climat d'amitié civique et de coopération qui devrait présider au bon fonctionnement d'une société démocratique. Mais l'État canadien, en dépit de son archaïque gouvernement à palier, s'est donné (la forme pronominale convient admirablement) une constitution démocratique et, dans une démocratie constitutionnelle, le pouvoir, constitutionnellement, est le pouvoir du peuple. Si le peuple canadien tombe si facilement dans les pièges que lui tendent ses représentants ; s'il s'incline lorsque ses dirigeants pactisent, en son nom, avec les pires tyrans de ce monde ; s'il se laisse réduire au mutisme par des représentants qui se taisent devant les génocides et les guerres iniques qui ravagent les peuples ; s'il assiste sans broncher, sinon pour y applaudir, aux injustices flagrantes commises à l'endroit de concitoyens ; s'il ne s'émeut guère devant les pratiques où couvent la discrimination raciale et linguistique ; s'il se soumet aussi servilement, comme il l'a fait à maintes reprises, à des décisions prises sans lui et qui ne sont pas à son avantage ; si le peuple canadien se soustrait au devoir qui lui incombe de veiller à ses propres affaires ; s'il refuse de prendre les choses en main, c'est que ce peuple, en tant que peuple, a perdu tout intérêt réel pour la démocratie. Et la minorité de démocrates authentiques qu'il pourrait encore compter parmi ses membres ne peut pas, en vertu même des règles démocratiques que le Canada s'est artificiellement données, faire revivre, pour l'édification de ceux qui l'ont oubliée, l'image éloquente de ce que la participation démocratique peut achever.

Parvenu à ce point le désespoir est permis. Il est nécessaire, mais il ne suffit pas, de se donner des institutions démocratiques pour obtenir un État démocratique. Encore faut-il qu'une société fasse de ces institutions l'instrument de sa destinée. Le Canada s'est donné une constitution démocratique et les institutions politiques et juridiques appropriées à ce type de constitution ; les institutions canadiennes sont défaillantes comme le sont probablement celles de la plupart des États contemporains. Par leur imperfection, ces institutions ont peut-être contribué à l'érosion du sens de la démocratie au sein du peuple canadien. Peut-être aussi que le sens de la démocratie, au sein de ce peuple formé, comme bien d'autres mais plus récemment, dans la cupidité et la duperie, n'a jamais eu la chance de s'implanter bien solidement. Quoi qu'il en soit de ces spéculations il est maintenant trop tard. L'ère de la mondialisation a vu le jour et l'État canadien est tourné vers le monde où il ne représente plus que lui-même. Le peuple canadien, lui, apprend à ses dépens mais un peu tard, que lorsqu'on ne travaille pas soi-même à l'amélioration de la société dans laquelle on vit, d'autres se chargent de dire en quoi consiste l'amélioration de cette société.

Les avenues de la démocratie

Rien ne nous servirait de quitter un désert pour en retrouver un autre. La nullité démocratique canadienne ne serait pas une raison de se séparer du Canada, ni non plus les sévices subis en raison de cette nullité, s'il était impossible de recréer ailleurs les assises d'un État démocratique. Il y a trois conditions. La première est l'existence d'institutions politiques capables de garantir à tous les citoyens une participation libre et égale aux décisions qui concernent l'organisation et le fonctionnement de la société dans laquelle ils vivent. La seconde est l'existence d'une société constituée d'un ensemble suffisamment grand de personnes portant un intérêt réel à la démocratie et déterminées, par conséquent, à faire de ces institutions l'instrument de leur destinée. La troisième est que cette société soit souveraine, c'est-à-dire qu'en plus d'avoir la volonté de s'autodéterminer, elle ait aussi les moyens d'exécuter les volontés démocratiquement exprimées de ses membres, et d'interagir conformément à ces volontés, avec d'autres États souverains. Si ces trois conditions sont satisfaites, les membres d'une société participent librement, également et d'une façon déterminante à toutes les décisions qui concernent l'avenir de leur société. Si ces trois conditions sont satisfaites, l'existence d'un État démocratique est acquise.

Les deux premières conditions, les Québécois n'ont pas besoin de chercher à les créer car elles existent déjà au Québec.

Le Québec possède le plus ancien système parlementaire du Canada et sa tradition démocratique est aussi la plus longue. Le Québec possède et applique une charte des droits qui a servi de modèle à celle qu'a voulu afficher l'État canadien. Le Québec possède son Code civil et ses institutions juridiques et économiques dont le fonctionnement est strictement lié à l'application de sa Charte. Sa loi électorale et les pratiques qui entourent les consultations populaires sont soumises à des normes démocratiques plus strictes qu'elles ne le sont dans les autres provinces canadiennes et, il va sans dire, plus strictes que celles qui s'appliquent lors d'élections nationales.

Il y a au Québec une communauté politique. Une communauté politique est formée de l'ensemble des individus qui, ayant le droit de vote, sont soumis à un même ensemble de lois. La communauté politique québécoise est formée de tous ceux qui ont le droit de voter au Québec et sont sujets aux lois québécoises de même qu'à la Charte des droits. La communauté politique québécoise est formée, bref, de tous les résidants du Québec.

Cette communauté politique a manifesté à plusieurs reprises et de plusieurs manières, non seulement qu'elle avait le sens de la participation démocratique, mais aussi qu'elle était déterminée à faire usage des institutions démocratiques pour exprimer ses volontés et régler ses différends. Le taux moyen de participation aux élections québécoises, l'ampleur du débat politique, l'importance et le nombre des médias qui sont ouverts à ce débat et contribuent à l'entretenir à l'échelle de la population, le nombre et l'intensité des interventions sur tous les sujets relatifs à l'organisation et au fonctionnement politique de la société québécoise montrent assez bien qu'au Québec, la communauté politique n'a pas oublié le sens de la participation démocratique à la vie publique.

La communauté politique du Québec a aussi manifesté hors les murs sa fidélité aux règles de la participation démocratique. Dans leur rapport au Canada, ses dirigeants politiques ont manifesté la bonne foi de la population québécoise, son désir d'arriver à des ententes mutuellement avantageuses avec le reste du Canada, sa volonté de coopérer à l'édification d'un pays uni, son ouverture aux attentes différentes des siennes. Tout cela en pure perte, nous le savons maintenant, mais c'est pendant des décennies que la communauté politique québécoise, sans se laisser décourager pas les murs qu'on dressait devant elle, est restée fidèle à des méthodes, que l'interlocuteur souvent ne reconnaissait même pas, mais qui étaient celles de la démocratie. Le Québec possède de solides institutions démocratiques. Il possède aussi une communauté politique qui porte un intérêt réel à la démocratie et qui est déterminée à entretenir, contre vents et marées, la vitalité de ses institutions. Ce qui manque au Québec pour être un État authentiquement démocratique c'est la souveraineté. Depuis des décennies, les gouvernements du Québec ont été empêchés d'exécuter les volontés démocratiquement exprimées par les Québécois. Les ingérences habituelles du gouvernement central y sont pour beaucoup ; la force et le chantage aussi. On a aussi tenté de faire taire cette voix démocratique en montant les Québécois les uns contre les autres. Depuis des décennies, les intérêts de ceux qui forment la communauté politique du Québec ne sont pas pris en compte dans les arrangements nationaux qui pourtant ont un impact sur le présent et l'avenir de la société québécoise. L'État canadien, qui a pourtant perdu l'habitude d'écouter la voix de la majorité, l'entend avec délice lorsque celle-ci réclame de museler le Québec.

Tous les Québécois ont souffert — et souffrent encore — des dénis de représentativité démocratique qu'ont essuyés ses représentants, des magouilles qui, pour un temps, ont paralysé ses gouvernements et semé la zizanie au sein de la société québécoise et des représailles économiques qui continuent de saper les acquis sociaux du Québec. Tous les Québécois individuellement souffrent de cela. Mais en tant que membres d'une communauté politique, c'est l'outrage qu'on inflige à tous ; c'est leur avenir, leurs projets et leur foi même en la démocratie qu'on a tenté et qu'on tente encore de saboter. Des intérêts distinctifs, incluant l'intérêt pour la démocratie, les Québécois se doivent de n'en point avoir.

Dans ces circonstances, il va sans dire que les intérêts de ceux qui forment la communauté politique du Québec ne sont pas non plus représentés dans les arrangements que conclut l'État canadien avec d'autres États souverains. Alors que nous avons la volonté de contribuer à l'édification de nouvelles solidarités, alors que nous avons les moyens requis pour définir clairement ce que nous attendons d'une société élargie, devons-nous subir le sort de ceux qui ont abandonné leur avenir aux mains des marchands et des technocrates ?

Ceux qui croient que l'amour de la démocratie n'est pas une raison suffisante pour préparer la souveraineté du Québec devraient réfléchir à trois choses. La première est le sort qu'a connu la démocratie au sein de l'État canadien. L'espoir de voir le peuple canadien sortir de ce marasme, reprendre goût à la participation démocratique, trouver le courage de se donner des représentants dignes de ce nom et, plus encore, accorder à la province de Québec la place et la voix qui lui reviendraient dans un Canada authentiquement démocratique est nul. Et de plus, il serait vain ; il est trop tard pour faire marche arrière, alors que l'État canadien a déjà jeté son peuple obéissant dans la gueule des gestionnaires et des financiers, alors qu'il s'est déjà compromis dans des accords (ou des désaccords) désastreux pour son peuple et que son peuple a servilement acceptés.

Ceux qui ont un intérêt réel pour la démocratie et rêvent d'une internationale démocratique n'ont rien à attendre du Canada. Mais plus longtemps ils attendront et plus ils s'exposent à oublier à leur tour ce que signifie la démocratie.

La deuxième est que le Québec possède les institutions et la communauté politiques nécessaires à l'organisation et au fonctionnement d'une société démocratique. Ce qui lui manque pour devenir une société authentiquement démocratique, c'est d'offrir à ses membres la possibilité de participer à toutes les décisions qui concernent leur avenir. Pour cela, et parce qu'il n'y a rien à attendre du Canada de ce côté, le Québec doit devenir un État souverain. Ceux qui possèdent un intérêt réel pour la démocratie et en sont privés, dans leur contrée et dans le monde, ne laissent pas passer, lorsqu'elles se présentent, les occasions de la faire revivre.

La troisième chose est que préparer la souveraineté du Québec est la *seule* option qui soit offerte aux Québécois qui ont un intérêt réel pour la démocratie et veulent vivre selon leurs convictions. Ceux qui pensent pouvoir s'abstenir de préparer la souveraineté du Québec s'exposent à ne jamais vivre dans une société pleinement démocratique et à n'être jamais des citoyens du monde. Et ceux qui s'opposeraient à la souveraineté du Québec se condamnent, et condamnent leur propre société à disparaître dans une mer de servilité.

L'amour de la démocratie est une condition nécessaire pour préparer la souveraineté du Québec. Rien ne sert, nous l'avons déjà dit, de quitter un désert pour un autre et si nous voulons un Québec souverain ce n'est pas pour le plaisir de le voir s'engouffrer de lui-même, plutôt que de s'y faire pousser par d'autres, dans les abîmes de la barbarie.

L'amour de la démocratie est une condition suffisante pour que l'on veuille préparer l'avenir du Québec. Sans amour de la démocratie, nous pourrions demeurer une province canadienne, suivant de loin en loin les gracieuses pirouettes que font nos représentants sur la scène internationale jusqu'à ce que, les perdant finalement de vue, nous nous retrouvions isolés dans un monde créé par d'autres et dont nous ne comprenons plus rien, sinon que nous en sommes devenus les serviteurs.

Le citoyen et sa nation

Rien ne sert de quitter un désert pour un autre. Mais le paysage que nous promet le projet souverainiste n'est-il pas un peu trop luxuriant ? Car le projet souverainiste, ce n'est pas que le projet d'une société conçue comme un système de coopération en vue de l'avantage mutuel. C'est aussi un projet qui se fonde sur l'existence d'une nation qui n'est pas seulement une nation civique ; sur l'existence d'une culture qui n'est pas seulement une culture politique. La société québécoise forme une communauté politique homogène, mais du point de vue ethnique, linguistique, culturel et religieux, elle n'est pas une communauté homogène et peut-être même pas une communauté du tout. Le projet souverainiste se fonde sur l'existence d'une nation — qu'en d'autres circonstances nous appellerions canadienne-française, mais que nous appellerons ici québécoise — et vise la promotion des intérêts et de la culture qui sont propres à cette nation. Comment pourrait-il en même temps promouvoir les intérêts de certains Québécois et reconnaître à tous les Québécois, conformément à ce que requiert le projet démocratique dont il a été question jusqu'ici, une voix égale dans les décisions qui engagent la société québécoise, de même qu'une liberté égale de réaliser leurs aspirations telles qu'ils les conçoivent ? Et si le projet souverainiste vise à promouvoir les intérêts de la nation québécoise au Québec, qu'en sera-t-il lorsque viendra le temps de défendre et de représenter sur la scène internationale, les intérêts des Québécois ? Ceux qui ne font pas partie de la nation québécoise seront-ils privés de représentants, privés du statut de citoyen du monde ? Ou, pire encore, un Québec souverain ne risque-t-il pas d'être exclu de la communauté des sociétés démocratiques, condamnant ainsi tous les Québécois à l'isolement ?

Le projet de société nationaliste, telle est la première question, est-il compatible avec le projet de société démocratique ? De la réponse que l'on peut donner à cette question dépendent les réponses que l'on peut donner aux deux autres.

La première chose que l'on doit souligner, est que c'est bien artificiellement que l'on peut séparer les deux projets. Nous l'avons fait ici pour les besoins d'une argumentation que nous voulions claire, nette et décisive. Mais historiquement, et dans les termes de l'actuel projet souverainiste, le projet nationaliste et le projet démocratique n'ont jamais été séparés.

Le Québec, nous l'avons dit, possède le plus ancien système parlementaire du Canada et une longue tradition démocratique. La naissance des institutions démocratiques au Québec a été portée par l'apparition d'une conscience nationale, désireuse d'asseoir ses droits et ses libertés démocratiques et c'est dans le cadre de ces institutions politiques démocratiques qu'a continué de se façonner, jusqu'à prendre la forme qu'elle connaît aujourd'hui, la conscience nationale québécoise. Le projet souverainiste, dans cette mesure, travestirait le projet nationaliste québécois si ses objectifs n'incluaient pas le projet démocratique.

D'autre part, il faut se rappeler aussi que c'est dans ce cadre démocratique, affirmation d'une conscience nationale, que s'est formée la communauté politique québécoise actuelle, dont on remarquait plus tôt qu'elle est pluraliste du point de vue ethnique, culturel, linguistique et religieux. Si le nationalisme québécois avait été exclusif, étroit, et comme certains se plaisent à le dire, de tendance fascisante, cette communauté politique n'aurait jamais vu le jour. Ce n'est pas parce que le Québec est assujetti à la Charte et à la Constitution canadienne, toutes les deux d'invention récente, qu'il existe au Québec une communauté politique pluraliste. C'est parce que les institutions québécoises sont depuis toujours démocratiques et également ouvertes à tous ceux qui veulent prendre part à la vie publique québécoise. Et parce que ces institutions sont ancrées dans la conscience nationale québécoise, il n'y a aucune raison de penser que le projet nationaliste viendra priver certains Québécois de leurs droits démocratiques. Bien au contraire étant intimement liés l'un à l'autre et se renforçant mutuellement, le nationalisme québécois et l'amour de la démocratie offrent des garanties de stabilité inestimables pour les institutions démocratiques d'un État québécois.

Et les politiques linguistiques, demandera-t-on, seront-elles aussi démocratiques et respectueuses des libertés de chacun ? La dualité linguistique du Québec a jusqu'ici été vécue dans des circonstances pénibles ; celle où une minorité de francophones devait surnager dans l'océan anglophone canadien pour faire valoir ses droits linguistiques et contrer la tendance démographique qui menaçait la survie même du français au Québec. Celle aussi, où la politique canadienne de bilinguisme était perçue, dans un environnement hostile, comme une concession déjà faite aux Québécois plutôt que comme un enrichissement, prélude à une plus grande ouverture de la société canadienne. Plusieurs des lois et des mesures requises dans ce contexte ne le seraient plus dans un Québec souverain. Il n'y a aucune raison de penser que les établissements publics anglophones du Québec (universités, hôpitaux, écoles) seraient soumis à des contraintes aussi grandes, a fortiori plus grandes, que celles qu'elles subissent déjà. Encore une fois, ce n'est pas parce que le Québec fait partie du Canada, et surtout pas à cause de la politique du bilinguisme officiel, que ces établissements continuent d'exister au Québec ; et ce n'est pas parce que le Québec deviendra souverain qu'ils devront plier bagage.

Ce n'est pas non plus parce que le Québec sera devenu souverain qu'il commencera à bafouer les droits des minorités et ceux des premières nations. Le Québec a déjà fait preuve de plus de générosité et d'intelligence à leur endroit que n'en a démontré le Canada et, délivré des habituels semeurs de zizanie, il pourra faire davantage. Enfin, ce n'est pas parce que le Québec sera devenu souverain qu'il commencera à bafouer les droits des femmes, des enfants et des homosexuels.

Nulle personne sensée ne pourrait sérieusement affirmer que dans un Québec souverain le statut de citoyen serait fonction de la langue, de la couleur, du sexe, de la religion, de la culture ou du pays d'origine. Mais c'est bien ce que l'on croit, ou veut faire croire, lorsqu'on affirme qu'un Québec souverain, porté par un projet nationaliste, serait dans l'incapacité de garantir également à tous les Québécois des droits et des libertés démocratiques similaires ; lorsqu'on affirme que certains Québécois compteraient plus que d'autres dans une société québécoise devenue souveraine ; lorsque l'on affirme qu'un Québec souverain imposerait aux uns ce qui favorise les autres, qu'il ne tiendrait pas compte des intérêts de tous les Québécois et ne pourrait pas, par conséquent, les représenter adéquatement.

Ceux qui pensent que le projet souverainiste, parce qu'il inclut un projet nationaliste, ne peut donner naissance à un État démocratique devraient réfléchir à deux choses. La première est que les circonstances historiques qui ont présidé à l'émergence de la nation québécoise sont aussi celles dans lesquelles plusieurs Québécois ont développé l'amour qu'ils portent maintenant à la démocratie. Leur attachement à la nation et leur attachement à la démocratie ont une même source et se renforcent mutuellement. Ceux qui ne partagent pas cet attachement à la nation mais ont un intérêt réel pour la démocratie devraient s'en féliciter ; ils auront à leurs côtés, pour défendre la démocratie, des alliés qui ont encore plus de raisons de vouloir la défendre, et peut-être aussi, mais pas nécessairement, une plus longue expérience des écueils à éviter.

La seconde est que la communauté politique du Québec est forte ; même l'État canadien, après deux siècles de ruses et de subterfuges, n'a pas encore réussi à en venir à bout. Cette communauté politique est forte et, en dépit de ses disparités culturelles, linguistiques et idéologiques, elle est restée unie lorsqu'il s'agissait de faire face aux ennemis de la démocratie. L'avenir n'est jamais sans risque mais il est des certitudes qu'il faut à tout prix éviter. Les risques du projet souverainiste, il y en a sûrement, nous pouvons compter sur une communauté politique pluraliste et forte pour les circonvenir en temps et lieux ; mais l'implacable barbarie qui nous attend si nous ne réagissons pas maintenant, il faut à tout prix l'éviter.

Conclusion

Les événements se précipitent et il faut agir rapidement. Ceux qui ont un intérêt réel pour la démocratie ne peuvent plus se contenter d'entretenir, dans les limites de la société qui les a vus naître, les rouages d'un système équitable de coopération en vue de l'avantage mutuel. Ils doivent encore veiller à ce que leurs dirigeants fassent de même à une échelle qui dépasse celle des États particuliers. Ils doivent veiller à ce que leurs dirigeants luttent pour l'harmonie entre les peuples, plutôt que de déclarer forfait devant les guerres atroces qui ravagent le monde ; ils doivent veiller à ce que leurs dirigeants se battent pour l'équité entre les peuples plutôt que de capituler devant les lois supposément transcendantes du marché ; ils doivent veiller à ce que leurs dirigeants militent pour l'autonomie des peuples plutôt que de se déclarer impuissants devant les cotes de crédit et autres ultimatums financiers. Ils doivent veiller à ce que leurs dirigeants n'encouragent, par leur lâcheté, ni la force, ni le chantage, ni l'exploitation qui, de l'extérieur, bâillonnent les peuples et sont les premiers ennemis de la démocratie. Ceux qui ont un intérêt réel pour la démocratie n'ont pas le choix de devenir maintenant des citoyens du monde ; c'est là que se joue, à un rythme devenu effarant, le sort des peuples et le leur.

Mais pour devenir citoyen du monde il faut d'abord être citoyen ; il faut se rappeler que les représentants sont là pour représenter leur peuple et doivent pouvoir le faire courageusement et sans contrainte ; il faut se rappeler que le pouvoir est le pouvoir du peuple et que ce sont les volontés d'un peuple quant à son avenir qui doivent être représentées. Le citoyen du monde doit, d'abord et avant tout, être citoyen d'un État fait par et pour le peuple, c'est-à-dire qu'il doit d'abord et avant tout être citoyen d'un État souverain.

Les Québécois ne sont pas tous issus d'une même nation mais ils ont une histoire politique commune, ils ont appris ensemble à lutter pour la démocratie et c'est ensemble qu'ils ont construit cette société à laquelle on reproche de se dire distincte. Distincte elle l'est ; elle est l'une des seules au monde ou l'on discute, âprement mais sérieusement, d'un projet de société ; elle est l'une des seules au monde ou existe un débat public, contradictoire mais passionné, sur l'avenir d'une nation ; et elle est certainement la seule sur ce continent où le forum politique est encore perçu comme le lieu d'où l'on peut changer une société. Les Québécois ne doivent pas cesser de vilipender leur société, de se critiquer mutuellement et d'avoir leurs humeurs de grand écrivain. Ce dont il est question ici, c'est d'une société démocratique, où le pluralisme n'est pas synonyme de morcellement, et où la tolérance n'est pas synonyme d'indifférence.

Ce que nous avons voulu dire dans cet article, c'est que le projet d'une société démocratique est aussi un projet de société. Ceux qui ont le courage de l'endosser, dans le monde actuel, doivent aussi prendre les moyens de le mener à terme dans le monde actuel. Comme tous les projets de société, il ne peut être mené à terme que par un peuple souverain. Mais jamais auparavant le sort des peuples n'a été aussi lié, pour le meilleur ou pour le pire, qu'il ne l'est maintenant. Jamais auparavant l'autonomie des peuples n'a été aussi menacée qu'elle ne l'est maintenant. Jamais auparavant la poursuite d'un projet de société n'a requis aussi impérieusement les puissants moyens dont dispose un État souverain. Le programme souverainiste ne plaît pas à tous ; mais si c'est le projet d'une société démocratique qui rallie les Québécois, alors ils devraient se rappeler que le projet souverainiste c'est le projet d'un État souverain.

LE SENS DE LA CONTINUITÉ ET DU RELATIF

Jules-Pascal Venne * *et Henry Milner* **

> Il y a des guerres justes [...], il n'y a pas
> d'armées justes [...]. Il y a une politique
> de la justice, mais il n'y a pas de parti juste.
>
> ANDRÉ MALRAUX, *L'Espoir*

En politique, il n'y a rien d'absolu. En ce qui concerne le gouvernement des hommes, il n'y a pas de modèle politique idéal. Ce que cette fin de siècle nous laisse en héritage, c'est le rejet des absolus politiques et le sens du relatif.

Le régime politique idéal n'existe pas

Tout au long du 20ᵉ siècle, nous avons vu se construire et se défaire des régimes politiques qui ont tenté de répondre et de satisfaire au double besoin de liberté et d'égalité. Ce qu'un historien du 21ᵉ siècle retiendra du 20ᵉ ce sont les

---

* Département de science politique, cégep Vanier.
** Science politique au cégep Édouard-Montpetit.

tentatives pour imposer des régimes idéaux et le bilan désastreux qui en a résulté. De l'Italie fasciste à l'Espagne de Franco au Chili de Pinochet aux escadrons de la mort de l'Argentine et du Salvador, de l'Allemagne nazie à l'Union soviétique de Staline, du « grand bond en avant » à la révolution culturelle, en passant par la place Tiananmen de la Chine communiste aux hystéries meurtrières du Cambodge et de la Yougoslavie, le bilan n'est pas complet. Des estimations approximatives nous révèlent qu'il y aurait eu entre 80 à 100 millions d'hommes et de femmes dont la mort serait directement liée à la volonté des hommes d'imposer des modèles politiques idéaux. Le bilan précis reste à établir.

Le pire des maux : l'intransigeance et la rigidité

Pour nous, aucun type de régime, aucun concept politique, ne peut être présenté comme une solution idéale. L'idéal et le meilleur n'existent pas. Le fédéralisme, les États unitaires, la souveraineté sont des notions toutes relatives, qui ne valent ni des positions tranchées, ni la mort d'un homme. Au 20e siècle, nous avons eu trop tendance à réduire les réalités à des concepts réducteurs et absolus et à engager des combats de principes et de mots. Car toute construction idéaliste crée un univers clos, abstrait et rigide : un système de pensée doctrinaire qui suscite des attitudes dogmatiques. On oublie que la volonté d'établir des sociétés sur des principes tous plus généreux les uns que les autres produit trop souvent des effets contraires et conduit à justifier, au nom d'une finalité élevée au rang du dogme et du sacré, des actions injustifiables. Ce n'est rien d'autre que l'application du vieil adage qui dit que la fin justifie les moyens. La France des « Libertés » de Robespierre et l'Union soviétique de Staline sont des exemples classiques et grossiers de cette logique. Le dogmatisme politique n'est rien de plus que la volonté de réduire les réalités humaines, individuelles comme collectives, à des catégories abstraites, à refuser l'existentiel, le droit à la différence et à nier les réalités. Ce type de logique engendre le pire des maux : l'intransigeance et la rigidité. En politique, les conséquences peuvent être dramatiques. Ainsi, l'opposition irréductible des Trudeau et des Wells à reconnaître l'existence de caractères distincts à la société québécoise et un statut particulier, au nom du concept de la nation civique, pousse le Québec hors du champ de l'État canadien.

Une prédiction simpliste : la fin de l'État-nation

Le 20ᵉ siècle a aussi produit cette tendance aux prédictions simplistes, sinon apocalyptiques. De la fin des idéologies claironnée par Daniel Bell à la fin des années 1950, des prédictions du Club de Rome qui prévoyait une famine généralisée en Asie au début des années 1980 et une pénurie mondiale de pétrole, à l'établissement d'une nouvelle ère pacifique mondiale à la suite de l'effondrement du communisme, il n'est resté que du sable. On sait aujourd'hui que la futurologie n'est pas une science exacte. L'évolution des sociétés a pris un malin plaisir à contredire ces simplifications.

Il en va de même pour ceux qui prévoient la fin des États-nations. Pour de nombreux analystes, le cadre politique actuel, celui de l'État-nation où se régularisent les conflits et les intérêts et où s'exerce la démocratie, est devenu périmé à cause de la mondialisation. Cette affirmation néglige deux constats fondamentaux. Premièrement, c'est une chose de constater que la mondialisation a pour conséquence de réduire les capacités des États modernes à gérer les flux économiques, que les outils traditionnels — les politiques monétaires, fiscales et budgétaires — n'ont plus l'impact qu'ils avaient, mais c'est une tout autre chose de conclure à la fin des États-nations comme cadre de vie collective et communautaire où, justement, ces enjeux doivent être régularisés.

De même, c'est une chose de constater la nécessité de mettre en place des structures supranationales pour régulariser l'économie mondialisée, mais c'est une tout autre chose de nier aux États-nations leur droit de participer à ces organismes. À moins de vouloir créer une bureaucratie internationale qui ne répondrait devant personne d'autre qu'elle-même, on ne voit pas comment on pourrait s'assurer que les intérêts et les volontés des peuples puissent s'exercer sans le contrôle et la nomination de ces derniers par le biais des États actuels. La question à se poser est de savoir s'il peut exister une démocratie sans nation. Car justement à l'heure de l'internationalisation des enjeux, le monde est devenu trop vaste pour former un corps politique efficace. Comme l'exprimait si bien Boutros Boutros-Ghali :

> la thèse du dépassement de l'État-nation est une théorie fort ambiguë, voire dangereuse pour l'avenir de la planète. Car dans le monde d'aujourd'hui, si nous détruisons les nations, nous n'aurons pas une vaste solidarité universelle, nous aurons des tribus, des liens primaires, ethniques ou religieux. Nous aurons plutôt des super-États et des entreprises pour les exploiter et les dominer[1].

On a beaucoup écrit sur l'État-nation. On lui prête tour à tour les plus grandes qualités comme les plus grands

---

1. Extraits d'une allocution du secrétaire général des Nations Unies prononcée à Montréal et reproduite dans *Le Devoir*, 27 mai 1992.

défauts. Au 19ᵉ siècle, on associait la création des États-nations à l'émergence de la démocratie parlementaire en butte aux pouvoirs autocrates. Au 20ᵉ siècle et plus particulièrement depuis la fin de la Seconde Guerre mondiale, les États-nations sont devenus responsables des guerres, des génocides et, plus récemment, des épurations ethniques. Ces thèses sont simplistes et réductrices ; et la plupart du temps, elles se trompent de cible. C'est l'un des champs d'études les plus complexes et qui se prête le moins aux catégorisations. Ce champ d'études se divise en différents domaines de recherche ; les processus de formation des nations, les éléments constitutifs des nations, les différentes conceptions de la nation et les différents types de nationalismes. Qu'on l'aborde sous un angle ou un autre, on n'arrivera pas aux mêmes conclusions. C'est un domaine relatif dans le temps et dans l'espace. Le sentiment identitaire évolue. La représentation que se font les Allemands d'eux-mêmes aujourd'hui n'est pas la même que celle d'hier. De même celle des Canadiens français, qui sont passés de Canadiens au 19ᵉ siècle à Canadiens français à Québécois depuis 1960. Il y a très peu de rapport entre la formation des premières nations au 18ᵉ siècle en Europe et la construction des 120 nouveaux États apparus depuis 1945. Pratiquement chaque nation, chaque État, chaque nationalisme a suivi et continue à suivre sa propre trajectoire[2].

Si pour le chercheur c'est un domaine fascinant d'étude et d'analyse, c'est aussi le domaine privilégié des rivalités et des conflits politiques, des justifications idéologiques et des simplifications partisanes et abusives. Pour ceux qui partagent la conception de Pierre Elliott Trudeau du fédéralisme

---

2. Jules-Pascal Venne, « L'accession à l'indépendance ; les précédents », *Possibles*, hiver 1995, p. 93-105.

canadien, l'existence des nations et des États modernes et les institutions politiques qui en découlent doivent reposer sur des valeurs universelles, et non pas sur des caractéristiques d'homogénéité ethnique, linguistique ou religieuse. Le sentiment identitaire doit se fonder sur une communauté d'aspirations et d'idéaux construite autour de la protection des droits individuels et de la répartition de la richesse collective. C'est la conception civique de la nation et, pour eux, le nationalisme canadien s'inscrit dans cette vision. Pour eux, le nationalisme québécois est condamnable en ce qu'il repose sur une homogénéisation à caractères culturel et ethnique. Le choix se réduirait entre une conception moderne (canadienne) et une conception primitive (québécoise) de la nation. La réalité est beaucoup plus complexe et ne correspond pas à cette catégorisation abusive.

Ce n'est pas le nationalisme qui est en cause, c'est le manque de démocratie

Pour nous, le nationalisme n'est ni bon ni mauvais. C'est une revendication légitime que des gens d'une même communauté nationale veuillent être gouvernés par les leurs ; que les décisions essentielles à la vie de leur communauté leur appartiennent en propre.

C'est aussi une évidence que la meilleure garantie contre les débordements ou dérapages nationalistes et ethniques demeure l'existence d'une véritable vie démocratique. Au siècle dernier comme au 20e siècle, les atrocités directement ou indirectement liées à des conflits ethniques furent commises dans des contextes de conflits armés et/ou sous des régimes autoritaires. Lorsque le nationalisme se développe et s'exerce dans une société structurellement et culturellement démocratique, les probabilités que des minorités soient brimées sont pratiquement inexistantes. On peut comprendre les craintes de certains face à l'émergence de mouvements ethnico-nationalistes au sein de sociétés autoritaires, de sociétés en phase de modernisation ou encore en transition démocratique. Mais le Québec ne correspond à aucune de ces catégories.

Il est l'une des sociétés les plus démocratiques : 200 ans de liberté d'expression et de démocratie parlementaire sans discontinuité depuis l'élection de la première assemblée législative en 1791, sauf pour les quelques semaines des mesures de guerre en octobre 1970 ; une culture politique profondément tolérante ; une Charte des droits de la personne et des minorités beaucoup plus complète que celle de la Constitution canadienne ; une loi sur le financement des partis politiques qui est la plus progressive de tous les pays occidentaux.

Les craintes d'un débordement nationaliste sont d'autant moins fondées que depuis la création du Parti québécois, jamais les leaders et l'establishment souverainistes n'ont tenu des propos et affiché des attitudes xénophobes. Pourtant, il aurait été électoralement rentable, lors de la crise amérindienne, ou face à la présence d'une forte population immigrante ou encore devant les vieilles rivalités entre francophones et anglophones, d'attiser et d'exacerber des comportements xénophobes. Ce fut tout le contraire. À ce chapitre, la trajectoire du mouvement nationaliste québécois depuis 1970 est exemplaire. Peu de mouvements nationalistes en émergence à travers le monde ont refusé d'employer ce type d'arguments. Le nationalisme professé par les establishments souverainistes est « un nationalisme rationnel et civique, un nationalisme ouvert, multiethnique, laïque et multiculturel » comme le souligne le politologue canadien Reg Whitaker[3].

---

3. Reg Whitaker, « Quebec Rights, Native Rights, a Fatal Collision ? », *Inroads*, n° 4, 1995, p. 58-70.

Que le sentiment identitaire s'exerce dans le cadre d'une nation unitaire ou dans le cadre d'une fédération multiethnique, le sentiment d'identité a d'abord et avant tout une fonction de cohésion et d'intégration. Il peut, d'une part, permettre aux sociétés de résister, aux effets désarticulants des rivalités d'intérêts, et d'autre part, assurer un meilleur partage des richesses de la communauté.

Soyons réalistes

Lors du référendum de 1980, nous nous sommes impliqués activement pour le « oui », persuadés que la souveraineté permettrait au Québec, en raison de sa forte cohésion nationale, d'établir des mécanismes et des institutions politiques qui assureraient à la fois une redistribution plus équitable de la richesse et une économie fortement concurrentielle. Comme bien d'autres, nous nous inspirions des expériences de concertation, de partenariat et de responsabilisation développées dans les pays socio-démocrates scandinaves. Nous savions qu'il y aurait un coût à payer, mais nous étions persuadés que les avantages économiques et sociaux étaient nettement supérieurs.

Après l'échec sans équivoque du référendum de 1980 et la démobilisation qui en a résulté, comme plusieurs de notre génération, nous avons opté avec René Lévesque, Pierre-Marc Johnson et Lucien Bouchard pour le « beau risque ». Les propositions constitutionnelles déposées par le gouvernement Lévesque-Johnson, en mai 1984, nous apparaissaient comme un compromis valable qui garantissait la pérennité et l'épanouissement culturel de la société québécoise, permettait une intégration des politiques de main-d'œuvre et de sécurité sociale et laissant les portes ouvertes sur l'avenir en affirmant le droit du peuple québécois à l'autodétermination.

L'Accord du lac Meech de 1987, bien que fortement en retrait par rapport aux propositions du gouvernement péquiste de 1984, allait dans le même sens. Il proposait un fédéralisme asymétrique en reconnaissant constitutionnellement le Québec comme société distincte et élargissait ses pouvoirs en matière culturelle et sociale. Ces compromis nous semblaient acceptables pour plusieurs raisons[4]. Ils allaient dans le sens de l'évolution des sociétés modernes, tenaient compte des contraintes de la modernité, et ouvraient de nouvelles avenues, de nouvelles perspectives quant aux relations entre des communautés nationales différentes. L'évolution de l'Union européenne nous le démontre. L'avenir et la pérennité des États modernes sont liés à leur capacité d'établir de nouveaux types de rapports politiques qui se situent entre une autonomie plus large et l'indépendance à leur aptitude de tenir compte des particularités de chaque communauté et à leur habileté de modeler des structures politiques asymétriques. En Suisse, en Espagne, en Finlande, et même au Royaume-Uni, des rapports asymétriques existent : certaines régions possèdent des pouvoirs que d'autres n'ont pas.

En observant le fonctionnement des fédérations, on constate qu'un fédéralisme symétrique peut fonctionner dans des États-nations sociologiquement unitaires tels que l'Allemagne, l'Australie et les États-Unis. À la limite, ce type de fédéralisme peut être valable dans des sociétés multinationales ou binationales dans la mesure où les caractères distincts des communautés sont traduits et inscrits dans la constitution. Parmi l'ensemble des fédérations, le fédéralisme canadien constitue une « anomalie ». C'est une

---

4. Henry Milner et Jules-Pascal Venne, « Breaking the Constitutional Deadlock ; A Quebec Perspective », *Inroads*, n° 1, 1992, p. 58-66.

fédération où neuf provinces partageant le sentiment de former une même communauté nationale et ayant le même statut de province imposent à l'autre communauté nationale minoritaire ce même statut.

L'Accord de Meech et, à la limite, l'entente de Charlottetown tentaient de rectifier cette « anomalie ». Mais après sept ans de négociations intenses, sans précédent dans l'histoire canadienne, malgré l'appui et l'ouverture du gouvernement central et la bonne volonté d'une forte majorité des dirigeants provinciaux, les échecs de Meech et de Charlottetown ont figé comme jamais le dossier constitutionnel.

Les compromis « honorables » ont échoué. Pour le Canada anglais, le dossier constitutionnel québécois est clos. Le reste du Canada, presque unanimement — des Premiers ministres provinciaux à Jean Chrétien en passant par Jean Charest —, refuse d'ouvrir le dossier constitutionnel et de reconnaître au Québec un statut particulier. Tout au plus, le reste du Canada laisse entendre qu'il serait prêt à des ententes administratives et temporaires. Même sur ce point, l'échec du transfert aux provinces des politiques de main-d'œuvre, malgré l'unanimité de tous les intervenants économiques et sociaux au Québec, ne nous laisse pratiquement aucun espoir.

Face à un tel contexte, en l'absence d'une position mitoyenne et de la rigidité de la structure fédérale, devant l'intransigeance des tenants du fédéralisme canadien, il n'est pas question de voter pour le « non » ou de s'abstenir.

Voter pour le « non », c'est accepter le statut provincial du Québec et, en bout de ligne, accepter de nier le caractère distinct et national de la société québécoise.

Voter pour le « non », c'est nier le droit à la différence. Nier que les structures politiques existent afin de répondre aux demandes et aux besoins des individus et des communautés.

Voter pour le « non », c'est donner raison à ceux et celles au Canada anglais qui affirment que les revendications constitutionnelles du Québec ne sont que des prétextes, un moyen de pression pour accroître la part du Québec dans les transferts fédéraux aux provinces.

De façon plus affective, voter pour le « non » c'est nier une large part de ce que nous sommes, c'est nier l'une de nos appartenances essentielles.

Voter pour le « oui », ce n'est pas endosser le projet souverainiste du Parti québécois ou de quiconque, c'est ouvrir un nouvel espace politique qui permettrait aux nations canadienne et québécoise d'établir de nouveaux types de structures politiques et économiques qui tiendraient compte des réalités sociologiques de ces deux communautés et des contraintes de la globalisation.

Un « oui » aurait comme effet immédiat d'obliger le Canada à inscrire à son ordre du jour la question du Québec, comme une question prioritaire et incontournable.

Dans un tel contexte, le Canada a deux options. La première est la position tchèque, c'est-à-dire de procéder immédiatement à la création de deux État séparés. Cette option se révèle improbable parce qu'à l'opposé de la Tchécoslovaquie, le Canada devrait conséquemment assumer l'existence d'un pays composé de deux entités géographiquement séparées : les provinces Atlantiques et le reste du Canada.

La deuxième option consisterait pour le Canada à ouvrir des négociations avec le Québec sur la base d'un partenariat politique et d'une association économique. Dans cette éventualité, il est clair que les positions du Canada anglais seraient en retrait par rapport aux positions du Québec telles qu'exprimées dans la question référendaire. Dans un tel contexte, la dynamique des négociations, la bonne foi des négociateurs et la vigilance des opinions publiques de part et d'autre pourraient déboucher sur des compromis satisfaisants pour les deux nations. Il n'y a aucune garantie que cela se produise. En politique, il n'y a pas de certitude. On se retrouve encore une fois face à un « beau risque ».

LÉGITIMITÉ ET LÉGALITÉ DU PROJET SOUVERAINISTE[1]

Guy Lachapelle[*]

> Il ne faut pas identifier l'espoir aux prévisions :
> il est une orientation du cœur et de l'esprit,
> il va au-delà du vécu immédiat
> et il s'attache à ce qui le dépasse...
>
> VACLAV HAVEL, *L'Interrogatoire*

Notre objectif n'est pas de faire un débat de nature partisane sur les mérites des options souverainiste et fédéraliste ou sur les stratégies élaborées par chaque camp. Nous voulons plutôt proposer une réflexion sur les notions de légitimité et de légalité, concepts qui sont apparus dans le débat actuel sur la souveraineté du Québec dès le lendemain du dépôt de l'avant-projet de loi sur la souveraineté. Depuis les débuts de la Révolution tranquille au Québec,

---

* Département de science politique, Université Concordia.
1. On trouvera une version légèrement plus élaborée de cet essai dans Guy Lachapelle, Pierre P. Tremblay et John G. Trent (dir.), *L'impact référendaire*, Québec, PUQ, 1995.

213

jamais la légitimité de la démarche souverainiste n'avait été contestée. Tous s'accordaient, jusqu'à tout récemment, pour affirmer que, dans la mesure où l'approche péquiste demeurait démocratique, qu'elle soit étapiste ou enclenchiste, sa légitimité ne pouvait être remis en cause. L'attachement du fondateur du Parti québécois, René Lévesque, aux valeurs démocratiques n'a jamais fait l'ombre d'un doute l'ancien premier ministre l'un des premiers à dénoncer les méthodes du Front de libération du Québec en 1970 et à condamner l'infâme Loi des mesures de guerre fédérale. C'est la légitimité du pouvoir fédéral qui était alors au ban des accusés, par suite de l'emprisonnement arbitraire de citoyens dont le seul crime était d'être indépendantiste. Il ne faut donc pas s'étonner de retrouver fréquemment dans le discours des ténors souverainistes et des nouveaux partisans de la souveraineté, comme les Bouchard et Dumont, des références aux valeurs démocratiques et à la volonté des Québécois d'adopter une démarche empreinte de pragmatisme et de réalisme[2]. De fait, les Québécois ont toujours été des gens de petits pas mais de pas assurés.

C'est le camp fédéraliste qui a bien sûr soulevé la question de la légitimité de la démarche souverainiste. Cette dénonciation a un objectif stratégique évident : laisser planer le doute sur les véritables intentions des forces souverainistes et du chef du Parti québécois, Jacques Parizeau. Le camp fédéraliste sait fort bien que tous les démocrates québécois sont sensibles à ce genre d'arguments, car ils sont l'essence même du projet souverainiste. La stratégie des

---

2. Guy Lachapelle, « The Rise of Quebec Democracy », dans Robert M. Krause et R.H. Wagenberg (dir.), *Introductory Readings in Canadian Government & Politics*, Copp Clark, 1995, p. 93-115.

forces fédéralistes est devenue encore plus évidente au lendemain du dépôt de l'avant-projet de loi sur la souveraineté, le 6 décembre 1994. Les premiers à monter aux barricades furent, chose étonnante, trois politologues de l'Université Laval, les professeurs Dion, Lemieux et Derriennic, qui attaquèrent de front la démarche proposée par le gouvernement du Québec. Ces attaques furent sans équivoque : l'avant-projet de loi contenait les germes de l'illégitimité, et il fallait également s'interroger sur sa légalité.

Ce débat sur la légitimité et la légalité n'est pas nouveau du point de vue de l'histoire des idées politiques[3]. Il prend toutefois un tout autre sens lorsqu'il s'agit de le transposer dans le contexte de sociétés modernes et démocratiques, comme le Québec, où l'autorité du pouvoir est garantie par des élections libres. Si la légitimité de nos gouvernements est parfois remise en cause par certains groupes de pression, elle ne constitue que rarement un objet de controverse.

Il faut probablement remonter au début des années 1980, au moment où le gouvernement de Pierre Elliott Trudeau s'apprêtait à rapatrier de manière unilatérale la Constitution canadienne, pour voir pareille levée de boucliers contre une action gouvernementale. Huit provinces avaient alors contesté la légalité de la démarche fédérale devant la cour suprême du Canada. Le gouvernement Trudeau avait d'ailleurs essuyé une rebuffade de taille puisque la cour suprême avait affirmé, dans son jugement du 28 septembre 1981, que le rapatriement unilatéral était sans doute légal, mais inconstitutionnel, pour ne pas dire

---

3. Carl Schmitt, *Du Politique - « Légalité et légitimité » et autres essais*, Paris, Pardès, 1990 ; Paul Bastid, « Légitimité », *Encyclopédie Universalis*, 1990, p. 578-581 ; Frank Lessay, *Souveraineté et légitimité chez Hobbes*, Paris, Presses universitaires de France, 1988.

illégitime. Suivant le verdict de la cour suprême du Canada, le gouvernement fédéral se devait d'obtenir l'assentiment des provinces, puisque la *Charte canadienne des droits et libertés* proposée limitait certains pouvoirs des provinces. La suite de l'histoire est bien connue, et le Québec n'a toujours pas adhéré au pacte fédératif de 1982. Cette épisode démontre bien l'importance de la légitimité de droit. Quant à la légitimité politique de la Loi constitutionnelle de 1982, elle demeure un objet de débats entre politologues.

Pour mesurer le degré de légitimité ou d'illégitimité de l'action des gouvernements, la science politique a élaboré un certain nombre de critères. L'ensemble de ces critères est à la fois d'ordre légal et moral. Les principaux critères légaux sont : un gouvernement élu démocratiquement, des politiques ou actions gouvernementales conformes aux lois et aux décisions visant le bien commun. Sur le plan moral, on parle essentiellement du respect des droits de la personne, c'est-à-dire de l'élimination de toutes les barrières qui peuvent entraver ou diminuer la liberté des citoyens. Toute action qui limite les droits civiques, par le biais de certaines législations contraignantes ou l'usage de la force, aura pour effet de miner la légitimité des gouvernements. Un autre critère souvent évoqué est celui de la continuité de droit, c'est-à-dire qu'il appartient au gouvernement d'assurer, une fois la souveraineté acquise, une certaine stabilité sociale, économique et politique. À ce chapitre, la reconnaissance internationale constitue un critère indéniable de légitimité. Nous chercherons donc à évaluer la pertinence de ces critères et à les utiliser pour évaluer la légitimité et la légalité de la démarche souverainiste, et ce, à la lumière des gestes posés par le gouvernement du Parti québécois depuis son élection.

GUY LACHAPELLE

L'élection du Parti québécois

Avant d'évaluer la démarche référendaire du gouvernement du Québec, il faut d'abord reconnaître que ce dernier a été élu démocratiquement le 12 septembre 1995. Les Québécois ont choisi le Parti québécois librement ; ils l'ont fait en toute responsabilité et sachant fort bien que ce parti avait pour objectif de faire la souveraineté du Québec. Le PQ n'a d'ailleurs jamais caché son option. De plus, le Parti libéral du Québec a basé sa campagne publicitaire sur la souveraineté, en cherchant à convaincre l'électorat qu'il s'agissait d'une élection référendaire. Sa publicité, en début et en fin de campagne, voulant démontrer que l'élection du Parti québécois signifiait au bas mot l'indépendance pure et simple, a ainsi été fort efficace, permettant au PLQ de faire le plein de ses votes.

Au moment de la campagne électorale, les Québécois ont d'ailleurs exprimé leur désir de voir autant le Parti québécois que le Parti libéral du Québec de se faire plus revendicateurs sur le plan constitutionnel[4]. Advenant une victoire du Parti québécois, une majorité de citoyens, 56,3 % se disaient tout à fait d'accord pour que le nouveau gouvernement du Québec tienne un référendum sur la souveraineté. Cela n'a rien de surprenant puisque le chef du Parti québécois parlait de l'élection comme de la deuxième période et que le référendum serait la dernière étape de la démarche souverainiste. De plus, 49,2 % des Québécois étaient d'accord pour que M. Parizeau commence tout de suite des discussions sur le transfert des pouvoirs et le partage de la dette fédérale.

---

4. Pierre O'Neill, « Constitution : les Québécois rejettent le moratoire prôné par Johnson », *Le Devoir*, 22 août 1994, p. A-1 et A-8.

M. Parizeau avait également mentionné durant la campagne électorale qu'il voulait faire adopter par l'Assemblée nationale une résolution indiquant la volonté du Québec d'accéder à sa pleine souveraineté ; 47,0 % des Québécois étaient d'accord avec cette idée, 43,6 % étaient en désaccord. Après son élection, le gouvernement du Parti québé-

Tableau 1

Les attentes des Québécois à l'égard des
propositions constitutionnelles du Parti québécois

Question : Advenant une victoire du Parti québécois de
M. Parizeau, seriez-vous plutôt d'accord ou plutôt en
désaccord que ce nouveau gouvernement...

	Plutôt d'accord	Plutôt en désaccord	Ne sait pas/pas de réponse
tienne un référendum sur la souveraineté	56,3	37,7	6,0
fasse adopter par l'Assemblée nationale une résolution sur la volonté du Québec d'accéder à sa pleine souveraineté	47,0	43,6	9,4
commence tout de suite avec Ottawa les discussions sur les transferts de pouvoirs et le partage de la dette	49,2	41,4	9,4
entreprenne la rédaction d'un projet de constitution d'un Québec souverain	46,9	44,3	8,8

Source : SONDAGEM. Sondage mené du 13 au 18 août 1995 auprès de 1020 répondants.

cois a préféré adopter une autre stratégie, en présentant à l'Assemblée nationale un avant-projet de loi qui précisait à l'article 1, que le Québec est un pays souverain. Enfin, 46,9 % des Québécois se disaient d'accord avec l'idée d'entreprendre la rédaction d'un projet de constitution pour le Québec. À ce chapitre, il faudra sans doute attendre les résultats du référendum pour qu'une commission constitutionnelle soit mise sur pied, avec mandat de rédiger la Constitution d'un Québec souverain.

Par ailleurs, advenant une victoire libérale, 64,5 % des Québécois désiraient une relance des négociations sur la base des revendications traditionnelles du Québec. En fait, l'attitude des Québécois contrastait avec celle de M. Johnson, qui s'est toujours dit en désaccord avec l'idée de mener des discussion constitutionnelles avant 1997 ; ainsi 49,4 % des Québécois se disaient en désaccord avec la position libérale. Chose surprenante, 48,1 % des Québécois désiraient que le Parti libéral du Québec organise un référendum sur la souveraineté du Québec ; et 46,7 % demandaient au chef libéral d'amorcer, s'il était élu, de nouvelles discussions constitutionnelles à partir des cinq conditions du lac Meech[5].

Toutefois, comme le Parti québécois a été élu démocratiquement, il a toute légitimité pour faire adopter les lois qu'il juge nécessaires à l'avancement de la société québécoise. Il peut constituer des commissions d'enquête (santé, éducation, constitution, etc.) afin d'obtenir des avis, des points de vue informés ou pour informer la population. Chercher à faire croire, après la dernière campagne électorale, que les Québécois ont voté uniquement pour un bon

---

5. SONDAGEM. Sondage mené du 13 au 18 août 1995 auprès de 1020 répondants.

gouvernement, ce serait faire preuve de malhonnêteté intellectuelle. Les propositions constitutionnelles des trois partis, dont l'Action démocratique du Québec (ADQ), étaient bien connu et elles avaient suscité débats et discussions. Comme le soulignait Fernand Dumont, une élection constitue un geste majeur, une reconnaissance de l'autorité politique : « Les consultations électorales ne se réduisent pas à des mécanismes ; ils réaffirment le consentement collectif à la légitimité de l'autorité et de la contrainte »[6].

Nous serions les premiers à manifester notre opposition à tout régime qui ne respecte pas les droits démocratiques des citoyens. Il faut dénoncer tout geste illégal qui entache les résultats d'un scrutin et qui mine le libre exercice du droit de vote. On oublie souvent dans nos régimes démocratiques que la confiance des citoyens dans les institutions constitue aussi un élément crucial et que toute attaque visant à discréditer un gouvernement, surtout lorsque l'on parle d'illégitimité et d'illégalité, peut être néfaste pour l'avenir d'une nation. Le sociologue Fernand Dumont s'inquiète lui aussi face à un certain vide qui prévaut au Québec et qui vise à miner la crédibilité des nos institutions politiques, économiques et sociales. D'ailleurs, M. Dumont nous appelait tous à la vigilance :

> Tandis que les régimes totalitaires reposent sur la contrainte, les régimes démocratiques se réclament de la légitimité. Celle-ci est garantie par des élections, la responsabilité ministérielle, la constitution et la déclaration des droits. Plus importante encore est la confiance dans les institutions. L'habitude aidant et les apparences sauvegardées, cette confiance s'érode sans qu'on y prenne garde. La vigilance est le prix des libertés publiques[7].

---

6. Fernand Dumont, *Raisons communes*, Montréal, Boréal, 1995, p. 54.
7. Dumont, *op. cit.*, p. 13.

Au lendemain d'une défaite électorale, on comprend fort bien que certaines personnes se sentent flouées. Une élection c'est aussi une lutte pour le pouvoir politique et l'élection d'un gouvernement souverainiste représente une menace pour certains individus ou groupes qui s'accommodent fort bien de la vision canadienne. Le projet du Parti québécois est aussi menaçant pour certaines élites, demeurées trop complaisantes à l'endroit du pouvoir fédéral, qui sont allergiques au changement et qui préfèrent nettement le *statu quo*.

Ainsi, plusieurs partisans libéraux, déçus des résultats de l'élection, ont cherché à donner un tout autre sens aux résultats en affirmant que le nouveau gouvernement du Québec n'avait pas le mandat d'enclencher le processus d'accession à la souveraineté. Les forces fédéralistes ont continué de mener leur offensive dès le lendemain de l'élection en cherchant systématiquement à désavouer la démarche démocratique du Parti québécois. Cette attitude nous a semblé et nous semble toujours dangereuse, car elle constitue une menace pour les fondements de notre société, quelle que soit l'option politique des uns et des autres. Il faut nous méfier car derrière ces attaques se cachent peut-être d'autres desseins.

La démarche souverainiste

Au moment du dépôt, à l'Assemblée nationale, de l'avant-projet de loi sur la souveraineté du Québec, les enjeux de la légitimité et de la légalité de la démarche souverainiste ont rapidement fait les manchettes. Le professeur Léon Dion affirmait à un journaliste du quotidien *The Gazette* qu'il s'agissait d'un procédé antidémocratique, d'une mascarade, d'une parodie, voire d'un exercice de propagande[8]. Vincent

Lemieux affirmait que la démarche référendaire proposée *pourrait* manquer de légitimité si les fédéralistes refusaient de s'associer au projet[9]. Comme tous savaient que le Parti libéral du Québec allait refuser de participer aux commissions régionales, la démarche péquiste était condamnée avant d'avoir pris son envol.

L'éditorialiste du journal *Le Soleil*, J.-Jacques Samson, parlait même d'un exercice qui avait pour objectif d'anesthésier les citoyens et « d'un détournement du rôle de nos institutions parlementaires[10] », comme si la démarche péquiste différait tellement de celle des partis conservateur et libéral lors de la consultation sur l'Accord de Charlottetown. Un autre politologue, Jean-Pierre Derriennic, publiait, quelques mois plus tard, un pamphlet dans lequel il en remettait, s'interrogeant sur la légitimité du vote référendaire, encourageant même, à mots à peine couverts, les opposants au projet souverainiste à la désobéissance civile[11]. Selon lui, si les Québécois se prononçaient démocratiquement en faveur de la souveraineté du Québec, mécontentement et violence pourraient germer chez les opposants.

Nous avons dénoncé ces propos enflammés[12] et nous n'avons pas été seul à y voir des gestes inutiles de pro-

8. Rod MacDonnel, « Constitutional expert attacks bill », *The Gazette*, 7 décembre 1994, p. A-5.
9. Pierre O'Neill, « L'astuce est un peu grosse - Le politicologue Vincent Lemieux ne cache pas son scepticisme face à la stratégie péquiste en vue du référendum », *Le Devoir*, 7 décembre 1994, p. A-5.
10. J.-Jacques Samson, « L'anesthésie d'un peuple », *Le Soleil*, le 7 décembre 1994, p. A-12.
11. Jean-Pierre Derriennic, *Nationalisme et démocratie*, Montréal, Boréal, 1995.
12. Guy Lachapelle, « Les cordonniers seraient-ils les mieux chaussés ? Discréditer son adversaire politique peut mener à bien des excès, même de la part de politicologues », *Le Devoir*, 20 décembre 1994, p. A-7.

vocation[13]. Un citoyen de Sainte-Foy nous faisait même parvenir au lendemain de notre réaction face aux propos de MM. Dion et Lemieux le commentaire suivant :

> Ce qui me choque dans leur attitude, c'est qu'ils n'aient pas été capables — en tant qu'intellectuels qui ont une crédibilité auprès de la population — de dominer convenablement la part d'émotion que comporte toute option politique. C'est leur droit de défendre le fédéralisme et d'être fédéralistes. Mais ces messieurs qui se pensent et se disent toujours au-dessus des mêlées partisanes, se devraient d'analyser le processus avec plus de nuances et moins de passion (21 décembre 1994).

Daniel Latouche trouvait lui aussi ces propos excessifs : « ... là où je débarque, c'est lorsqu'on se réfère à ce que notre vie politique et notre démocratie contiennent de plus dévastateur, la condamnation pour illégitimité. C'est le genre d'excommunication dont on se remet difficilement et que les sectaires religieux aiment bien employer[14]. »

Lorsque les règles parlementaires sont transgressées par divers abus de pouvoir, tous les citoyens ont le droit de s'inquiéter ; et nous n'avons pas franchi ce pas au Québec, ni en décembre ni aujourd'hui. Le professeur Dion affirmait que la démarche choisie par le gouvernement était antidémocratique parce qu'il ne donnait pas une chance égale aux fédéralistes et aux souverainistes de s'exprimer. De plus, il craignait que l'exercice de la consultation régionale soit noyauté uniquement par des souverainistes, l'option

---

13. Bernard Caron, « La souveraineté illégale ? », *Le Devoir*, 22 février 1995, A-9 ; Daniel Latouche, *Plaidoyer pour le Québec*, Montréal, Boréal, 1995.
14. Daniel Latouche, « Quelque chose de brisé au Québec », *Le Devoir*, 24 et 25 décembre 1994, p. A-6.

fédéraliste étant marginalisée. Il avait même peur que, lors des audiences régionales, les partisans fédéralistes soient conspués, voire ridiculisés. C'est bien mal connaître les Québécois. C'est surtout porter un diagnostic avant le fait. Ce genre d'attitude menaçante relève d'un certain paternalisme qui porte atteinte aux fondements de la société québécoise. Quel que soit le résultat du référendum, il y aura des citoyens heureux et des citoyens déçus. Toute opinion ou toute quête de la vérité doit s'accompagner d'une certaine dose de moralité publique. Les intellectuels et les gouvernements doivent respecter certaines règles éthiques et morales. Quand un gouvernement élu démocratiquement propose un changement de statut constitutionnel, une révolution de l'esprit, il est de bon ton de s'interroger sur sa démarche. Mais cela doit se faire, encore une fois, dans le respect des opinions de chacun. Selon Paul Bastid, « un gouvernement ne devrait être réputé illégitime… que dans le cas où il contreviendrait ouvertement à des règles morales incontestées qui sont les bases mêmes de toute civilisation »[15]. Il est difficile de prétendre que c'est le cas de la démarche souverainiste.

Paul B. Singer s'interrogeait, par exemple, sur l'utilisation du pouvoir de l'État administratif afin de contourner certains principes inscrits dans la Loi sur la consultation populaire, tout en reconnaissant la légitimité de la démarche du gouvernement du Parti québécois. Tout gouvernement, y compris le gouvernement fédéral, a bien sûr le pouvoir d'utiliser les membres de la fonction publique pour atteindre ses objectifs politiques. Mais, ici encore, tout est question de degré et de transparence. Le gouvernement du

---

15. Bastid, *op. cit.*, p. 580.

Québec n'a probablement pas de leçons de conduite à recevoir du gouvernement fédéral qui tarde à accoucher d'une loi limitant les contributions et dépenses électorales.

La démarche du PQ de 1994 fait précéder le référendum d'une période de consultation — ou pré-référendum — qui possède tous les risques d'abus que la Loi sur la consultation populaire visait à contrecarrer. L'État peut dépenser comme il veut, utiliser la vaste machine bureaucratique pour parvenir à ses fins, organiser des consultations qui favorisent son option, changer l'enjeu et modifier la date du référendum comme il l'entend. La forme finale du projet, peut-être même la question, sera connue seulement la veille de la période référendaire qui sera la plus courte possible, liste électorale permanente aidant... La démarche n'est pas illégitime pour autant. Mais le sens moral d'une victoire sera diminué[16]...

À ce chapitre, il faut nous rappeler le référendum de 1980 au Québec. L'interprétation du fameux discours de Pierre Elliott Trudeau, à Montréal en mai 1980, continue de hanter notre mémoire collective. Nul doute que M. Trudeau a promis le changement à ce moment là. Sauf que seuls lui et ses comparses savaient quel sens donner au mot changement. De nombreux Québécois l'ont malheureusement cru. Pourtant, dès 1981, alors que le Québec était écarté de l'entente constitutionnelle, la moralité de la démarche fédérale fut nettement entachée. Mais peu de fédéralistes se sont levés pour décrier cette usurpation de pouvoir, qui aura des conséquences politiques indéniables et qui est à l'origine du débat référendaire d'aujourd'hui. Il semble bien qu'au Canada on ait deux poids, deux mesures, quand il s'agit de moralité.

---

16. Paul B. Singer, « Avant-projet de loi sur la souveraineté — Légitimité de la démarche référendaire », *Le Devoir*, 9 janvier 1995, A-7.

Les critiques à l'endroit de la démarche souverainiste tombent à plat quand on constate l'intérêt que les citoyens ont accordé aux commissions régionales, à la commission sur les aînés et les jeunes et lors des audiences de la Commission nationale. Comme le soulignait le rapport de la Commission nationale sur l'avenir du Québec, il s'agit de la plus vaste consultation populaire jamais tenue au cours de l'histoire du Québec. Plus de 55 000 Québécois ont participé aux 435 audiences publiques des 18 commissions sur l'avenir du Québec, où furent déposé plus 5500 mémoires. Avec ses 288 commissaires, majoritairement des non-élus, issus de tous les milieux sociaux, certains étant même membre du Parti libéral du Québec, il est difficile de prétendre qu'il s'agissait d'un exercice non démocratique[17].

En fait, les discussions publiques ont porté bien plus sur le type de société dans laquelle les Québécois aimeraient vivre que sur les seuls enjeux constitutionnels. Il faut aussi reconnaître que le rapport de la Commission a provoqué des discussions vives entre souverainistes, surtout à la suite du « virage » de Lucien Bouchard, le 7 avril 1995. Le rapport a cependant permis la réalisation de l'entente entre le Parti québécois et les partis de l'Action démocratique du Québec et du Bloc québécois. On constate également que les propos et remarques sur le sens moral à donner à la démarche péquiste traduisent bien plus une méfiance partisane à l'endroit du gouvernement ; c'était faire bien peu confiance aux citoyens et au gouvernement du Québec.

Lorsque le Parti libéral du Québec a décidé pour des raisons stratégiques de ne pas participer aux travaux de la

---

17. Commission nationale sur l'avenir du Québec, *Rapport*, Conseil exécutif, Secrétariat national des commissions sur l'avenir du Québec, 1995.

Commission nationale sur l'avenir du Québec, il a pris cette décision en toute connaissance de cause estimant que l'action politique hors de la Commission était plus utile pour faire valoir son point de vue. L'éditorialiste J.-Jacques Samson du journal *Le Soleil*, suggérait d'ailleurs au Parti libéral du Québec, au moment du dépôt de l'avant-projet de loi sur la souveraineté, de lancer immédiatement sa campagne du NON. Mais ce n'est pas parce que le Parti libéral du Québec a refusé de participer aux audiences que le processus est illégitime.

Si le programme électoral du PLQ et le credo des Bélanger-Johnson en faveur du *statu quo* constituent l'essence même de la démarche fédéraliste, nous ne pouvons que déplorer comme démocrates leur non-participation aux travaux de la Commission nationale. Mais il ne faut pas non plus être surpris puisque les souverainistes n'ont jamais été invités à exprimer leur point de vue lors des audiences du lac Meech et de Charlottetown. Les fédéralistes rejettent même, à l'heure actuelle, des propositions d'accommodement constitutionnel, comme celle proposée par André Burelle[18], un ancien haut-fonctionnaire fédéral, parce qu'elles vont à l'encontre de leur stratégie.

La position actuelle du PLQ contraste d'ailleurs avec toutes les demandes libérales antérieures. Après leur défaite électorale, les instances du Parti libéral ont fait la sourde oreille devant les militants qui souhaitaient que leur parti propose aux Québécois des solutions valables avant le référendum. Plus récemment, le sénateur Jean-Claude Rivest demandait au chef du PLQ d'élaborer une position constitutionnelle pour son parti. La promotion du *statu quo*

---

18. André Burelle, *Le mal canadien : essai de diagnostic et esquisse d'une thérapie*, Montréal, Fides, 1995.

demeure une stratégie dangereuse pour le Parti libéral du Québec car il s'agit de signer un chèque en blanc au gouvernement fédéral.

Il est donc difficile de prétendre que la démarche souverainiste depuis le 6 décembre 1994 ait manqué de transparence. Les résultats de la Commission nationale prouvent encore une fois l'attachement des Québécois à une discussion franche et ouverte. On peut difficilement accuser le gouvernement du Parti québécois d'avoir usurpé le pouvoir pour faire valoir son option ou parler de dogmatisme dans les discussions entourant son projet de société. Des débats internes se poursuivent d'ailleurs à l'intérieur de tous les partis. Il sera difficile d'affirmer, advenant une victoire du OUI au référendum, que la démarche souverainiste préréférendaire fut entachée d'illégitimité.

La participation des citoyens à la vie démocratique : liberté, partenariat et non-violence

La légitimité politique repose sur l'adhésion volontaire des citoyens à la vie sociale et politique de toute société ; les trois principes qui guident la participation des citoyens reposent sur des concepts de liberté, de partenariat et de non-violence. C'est pourquoi tout le débat entourant la majorité nécessaire pour qu'un État accède à la souveraineté nous semble lui aussi porter atteinte aux fondements de la société québécoise. À partir des résultats des sondages commandités à la maison CROP[19], le Conseil du patronat du Québec souligne régulièrement qu'il faudra un vote

---

19. Centre de recherche sur l'opinion publique (CROP), *Le climat préréférendaire au Québec — Sondage d'opinion auprès des Québécois*, CROP-EXPRESS, février 1995.

substantiel, au-delà de 60 %, pour que la légitimité du vote soit reconnue.

Si on regarde attentivement les données de ces sondages depuis avril 1991 (voir tableau 1), on constate aisément que l'objectif de ces sondages relève là aussi bien plus de la stratégie politique que du réalisme politique. Ce qui peut être étonnant, c'est la constance des résultats depuis 1991 et le fait que les deux types de majorité qui obtiennent le plus fort pourcentage sont la majorité des deux tiers et la majorité simple. Si on pouvait obtenir les résultats croisés avec les intentions de vote, on se doute que les résultats seraient différents suivant l'appui partisan des répondants. De plus, vu le nombre de catégories, on peut interpréter les résultats de manière très différente : on pourrait par exemple affirmer qu'en février 1995, 55 % des Québécois estimaient qu'un vote au référendum entre 50 et 60 % est suffisant pour que le gouvernement du Québec puisse enclencher le processus menant à l'indépendance du Québec[20].

Mais l'interprétation la plus courante, proposée par Jean-Pierre Derriennic, est plus simple. Faire l'indépendance, c'est comme dissoudre un club de pêche : il faut au moins les deux tiers des membres votants, article 356 du Code civil ! De plus, selon lui, la règle de la majorité ne s'applique pas si un État ne possède pas l'autorité morale pour faire la souveraineté. Pour obtenir cette base morale, il faut selon Derriennic que le processus d'indépendance se situe dans une continuité historique, comme si la démarche péquiste tombait du ciel et que nous n'y étions pas. Après les échecs constitutionnels de 1982, de Meech et de Charlottetown, que faut-il de plus pour se situer dans cette continuité historique ?

---

20. Conseil du patronat du Québec et CROP.

Les règles de participation des citoyens à la vie démocratique et au processus électoral nous semblent les seules qui devraient prévaloir. Les démocrates québécois ont toujours estimé que ces règles étaient les seules garantes de l'avenir. Malheureusement, nous savons que le gouvernement fédéral et les forces du NON ont transgressé les limites de dépenses permises dans la Loi sur les consultations populaires lors du référendum de 1980 et qu'ils le feront encore lors du prochain référendum.

Dans leur manifeste, les intellectuels pour la souveraineté du Québec (IPSO) proposent d'ailleurs une vision plus large de la légitimité fondée essentiellement sur la participation des citoyens à la résolution des problèmes de la société québécoise[21]. Certaines « raisons communes », pour reprendre l'expression de Fernand Dumont, fondées sur une plus grande solidarité sociale et orienter vers la définition d'un projet de société auquel participeraient tous les citoyens, ont guidé cette démarche. Les quelque 300 personnes qui ont signé le manifeste jusqu'ici ont voulu se démarquer d'un déterminisme de bon aloi et répondre à tous les dénigreurs de la société québécoise. Le Québec est une société démocratique qui a à relever les défis de tous les États modernes. Souhaiter que les citoyens puissent exercer leur choix de manière démocratique, sans contraintes indues, ne relève pas d'une vision tronquée de l'histoire. Les Québécois doivent garder l'œil ouvert, avoir l'esprit clair, pour que l'histoire puisse donner un sens véritable à cette décision collective.

La seconde règle, au regard de la participation des citoyens à la vie démocratique, repose sur l'idée d'un

---

21. « Huit arguments pour la souveraineté » (Manifeste des intellectuels pour la souveraineté — IPSO), *La Presse*, 8 juillet 1995, p. B-3.

partenariat entre citoyens mais aussi entre l'État et le citoyen, principe qui a d'ailleurs inspiré bien des fédéralistes. À l'encontre de cette idée, Jean-Pierre Derriennic oppose la tyrannie du pouvoir. Selon lui, peu importe le type de gouvernement au pouvoir, qu'il soit monarchiste, tyrannique, etc. ou peu importe comment un parti politique ou certaines élites occupent le pouvoir politique, le plus important, c'est la soumission des citoyens à ce pouvoir. Le projet souverainiste contraste avec cette vision médiévale du pouvoir en proposant une plus grande solidarité entre citoyens et une reconnaissance du principe selon lequel l'État doit non pas s'imposer mais écouter les demandes des divers groupes.

La reconnaissance par les fédéralistes d'un seul État, l'État canadien, provoque chez eux des crises existentielles profondes quand un autre gouvernement s'arroge la prétention de parler au nom de certains citoyens. La logique canadienne a d'ailleurs obligé le Parti libéral du Québec à abdiquer ses responsabilités politiques, à n'être plus qu'une succursale du Parti libéral du Canada. Dans une perspective élitiste de cohabitation entre les élites canadiennes-françaises et canadiennes-anglaises à l'intérieur du cadre fédéral, tout geste de non-soumission est par le fait même considéré comme irrévérencieux, illégitime, d'où la position de Derriennic.

Les Québécois francophones doivent se méfier de ceux qui, sous le couvert de l'illégitimité, veulent leur bien. La soumission au pouvoir politique entraîne un état de dépendance dans lequel certains ont souvent voulu contraindre les citoyens du Québec. En fait, derrière le discours fédéraliste, on sent malheureusement cette ambivalence : comme les Québécois ne veulent pas être des Canadiens comme les autres, leurs gestes sont *de facto* illégitimes, c'est-à-dire contraires aux intérêts de l'État canadien. On ne veut pas reconnaître la légitimité de l'État québécois dans la mise en œuvre de politiques afférentes à son territoire. L'accusation d'illégitimité est grave. Il s'agit d'une négation à la fois du pacte fédéral de 1867 et de la légitimité d'action de tout gouvernement provincial au Canada. Plus encore, c'est le refus de mettre en œuvre un véritable partenariat tant sur le plan social et économique que sur le plan politique.

Le troisième principe est celui de la non-violence. Nous nous élevons aussi contre ceux qui qualifient la démarche souverainiste d'illégitime pour mieux justifier l'emploi de la violence et de la force. Il faut être vigilants devant ce type de campagnes visant à discréditer nos institutions démocratiques. Au temps de Talleyrand, le droit était le fondement de la légitimité et les monarques l'utilisaient pour se prémunir contre tout emploi de la force[22]. Tel est, à notre sens, le but ultime de ces dénonciations de la part de fédéralistes réputés qui remettent en cause la légalité des actions du gouvernement du Québec. Nous étions inquiets en décembre 1994 devant de tels discours ; nous le serons toujours. Dans une démocratie aussi vivante que la démocratie québécoise, quand certains cherchent systématiquement à discréditer toutes les actions d'un gouvernement élu, en brandissant le flambeau d'une certaine illégitimité, il n'y a qu'un pas à franchir pour que l'appareil d'État utilise l'outil de son dernier retranchement : la force. Il faut nous opposer vivement à tout encouragement à l'usage de la violence. Autant, lors des événements d'Octobre 1970, trop peu de démocrates se sont opposés au recours à la Loi des mesures de guerre par le gouvernement fédéral, autant il nous faut

---

22. Bastid, *op. cit.*, p. 579.

dénoncer, aujourd'hui, tous les efforts de déstabilisation de nos institutions démocratiques.

Le monopole de la violence au Canada appartient à l'État fédéral, puisque ce dernier peut toujours utiliser l'armée, les services secrets et le pouvoir judiciaire pour contester toute décision démocratique. Après que certains furent allés jusqu'à affirmer que le Québec n'avait pas le droit de sécession sans l'accord du Canada anglais, d'autres ne se sont pas gênés pour dire même qu'il fallait faire souffrir les Québécois, leur faire peur, pour que les forces du non l'emportent au référendum. Toute cela relève de l'usage de la force. Comme le soulignait Paul Bastid, « l'illégitimité une fois admise conduit à l'exercice de la résistance par la force, c'est-à-dire à la guerre civile »[23]. C'est cette perception de la situation qui nous amène à nous interroger sur les motifs réels de pareilles dénonciations, surtout de la part de politologues.

Les souverainistes québécois ont fait, par ailleurs, un pari important, soit d'atteindre leur objectif par les voies démocratiques, en prônant ces principes de liberté, de partenariat et de non-violence. Les Québécois ne sont pas dupes et ils ont choisi d'élire des leaders et des partis politiques qui pouvaient le mieux défendre leurs intérêts, tant à Québec qu'à Ottawa. Pour plusieurs fédéralistes, la démarche souverainiste n'est que pure naïveté de la part d'une petite bourgeoisie nationale. Mais les souverainistes n'ont d'autre solution que de s'appuyer sur le peuple pour faire leur « révolution de velours ».

23. Bastid, *op.cit.*, p. 580.

La reconnaissance internationale

Tous les observateurs demeurent fort conscients qu'une fois la victoire du oui acquise au référendum, l'accession à la souveraineté, aux lendemains des négociations avec le Canada, dépendra de la reconnaissance internationale. Des efforts diplomatiques importants ont été déployés jusqu'à aujourd'hui, et certains projets de loi ont été présentés à cet effet à l'Assemblée nationale.

D'abord, le principe du « transfert de juridiction » demeure la pierre d'assise de cette reconnaissance internationale. Dans la mesure où un État qui désire accéder à la souveraineté établit *face die* les principes qui le guideront au lendemain de la déclaration d'indépendance, les autres pays devraient normalement reconnaître le nouvel État. Sur le plan diplomatique, le gouvernement fédéral fera tout ce qu'il peut pour retarder cette reconnaissance. Le pacte Chrétien-Chirac, non-intervention française dans le débat référendaire, en échange de l'uranium canadien, démontre bien jusqu'où la diplomatie canadienne est prête à aller. Pour contrer ces campagnes, le gouvernement du Québec a déposé deux projets de loi à l'Assemblée nationale. Le projet de loi 51 sur les accords de commerce international et le projet de loi 98 sur les privilèges et immunités diplomatiques et consulaires.

Lors du dépôt à l'Assemblée nationale du projet de loi 51, en janvier 1995, le vice-premier ministre du Québec et ministre des Affaires internationales, M. Bernard Landry, a insisté pour souligner que ce projet de loi reposait sur les règles du droit constitutionnel canadien, qui font en sorte que les traités internationaux requièrent, pour être applicables en droit interne, une mise en œuvre législative. Partant du principe que plusieurs directives et normes édictées par des organismes internationaux relèvent directement de la compétence et de la juridiction des provinces, le gouvernement du Québec voulait démontrer clairement sa ferme intention de faire valoir son droit interne et de souligner que la légitimité des actions du gouvernement fédéral repose sur une reconnaissance de la compétence et juridiction des provinces dans divers secteurs[24].

Le projet de loi vise à démontrer les limites du pouvoir exécutif fédéral dans les champs de compétence provinciale. Il soulève également la question de la légitimité du lien fédéral, au regard de ses pouvoirs de dépenser et de taxer ainsi que sa compétence exclusive dans certains secteurs. Il démontre que la légitimité peut être sectorielle, dans un État fédéral, selon la compétence de chaque ordre de gouvernement.

Mais la nécessité, pour un État, d'être reconnu internationalement procède des attentes des milieux politiques ou financiers. La transition vers la souveraineté doit se faire autant que possible de manière cordiale, humaine et souple. Des enjeux, comme celui du partage de la dette demeurent au centre des préoccupations. Le fait que le gouvernement du Québec a affirmé qu'il allait respecter ses obligations concernant la dette publique canadienne représente, malgré tout, une offre généreuse et non négligeable. À ce seul chapitre, il serait étonnant de voir le Canada refuser toute négociation ; les investisseurs étrangers qui s'inquiètent de la dette canadienne auront tôt fait de rappeler à Ottawa qu'il y va de leurs intérêts de voir le Canada s'entendre avec le nouvel État.

---

24. Bernard Landry, « Le Québec, un État libre-échangiste », *Le Devoir*, 31 janvier 1995, p. A-7.

Un autre argument souvent évoqué par le premier ministre du Canada, Jean Chrétien, est l'illégalité de la démarche référendaire québécoise puisque rien dans la Constitution canadienne ne prévoit la possibilité pour une province de se séparer de la fédération canadienne. Selon l'opinion récente de six professeurs d'université, dont le constitutionnaliste Jacques-Yvan Morin, aucune constitution fédérale connue, sauf celle de l'ex-URSS ne contient de dispositions au regard de l'accession à l'indépendance d'une de ses parties, régions ou provinces[25]. En fait, le contraire aurait été surprenant. Comment les signataires de la Constitution de 1867 auraient-ils pu inscrire pareille disposition, alors que leur objectif était d'amener d'autres provinces à se joindre ultérieurement au Canada ?

En fait, il semble en ce domaine, que ce soit essentiellement le droit international qui prime. Aussi, l'argument de l'illégalité nous renvoie plutôt à la question si le droit des peuples à décider de leur avenir demeure un élément essentiel du droit international. Le principe du droit à l'autodétermination des peuples ne fait pas l'unanimité entre spécialistes, suivant qu'ils adoptent une approche légaliste ou sociopolitique. Ce genre de débat nous renvoie essentiellement à la volonté de tout nouvel État devenu indépendant de démontrer aux autres États, et en particulier aux membres des Nations Unies, sa capacité à maintenir un État de droit et d'assurer la pérennité des ententes déjà conclues avec d'autres pays. La reconnaissance internationale repose donc sur le principe de l'État successeur et

---

25. Jean-Maurice Arbour, Andrée Lajoie, Pierre Mackay, Guy Tremblay, Jacques-Yvan Morin, François Crépeau, « Le droit international admet la sécession du Québec », *Le Devoir*, 18 août 1995, p. A-9.

sur l'autorité politique du nouvel État d'assumer ses obligations internationales.

Conclusion

La démarche souverainiste proposée par le gouvernement du Parti québécois nous semble tout à fait légitime et légale et garante du maintien des valeurs démocratiques de la société québécoise. Mais tout ce débat témoigne également de la difficulté qu'ont les philosophes du politique à distinguer la légitimité d'un gouvernement de la légalité de ses gestes. De plus, dans un contexte démocratique et partisan, comme celui qui prévaut actuellement au Québec, ont s'attend généralement à plus de nuances et de retenue, surtout de la part des politologues. S'il faut noter le désarroi de certains collègues et de plusieurs fédéralistes incapables, après les échecs constitutionnels du lac Meech et de Charlottetown, de faire consensus sur des propositions constitutionnelles concrètes, cela ne les justifie nullement de miner la crédibilité de l'État québécois. Moyen détourné pour cacher ses faiblesses, sans doute, mais geste dangereux pour ceux qui rêvent de plus de démocratie.

Sous les dénonciations d'illégitimité et d'illégalité se cache aussi un certain conformisme politique, ou ce que certains appellent de la rectitude politique. Tous ceux qui parlent de liberté de pensée, de sociétés démocratiques ou de marchés plus ouverts semblent être les rebelles de cette fin de siècle. Et pourtant, dans toute démocratie, l'opposition doit pouvoir s'exprimer, et la liberté de parole ainsi que le droit de réplique être reconnus ; on s'attend à ce que ces droits se manifestent dans le respect des opinions de tous et chacun. On peut comprendre que les Dion, Lemieux ou Derriennic ne partagent pas les idées

LÉGITIMITÉ ET LÉGALITÉ DU PROJET SOUVERAINISTE

véhiculées par le programme du Parti québécois. Mais de là à attaquer les fondements mêmes d'une société démocratique, leur attitude relève bien plus de la partisanerie que du réalisme politique. Vigilance, avons-nous dit? Elle sera toujours de mise, même après un oui.

DES ARGUMENTS CONSTITUTIONNELS ET UN PROJET DE CONSTITUTION QUÉBÉCOISE

Daniel Turp⋆

Dans le *Manifeste des intellectuels pour la souveraineté*, l'argument constitutionnel constitue le huitième et ultime argument invoqué pour justifier le choix de la souveraineté. Cet argument est d'une importance fondamentale dans le débat entourant l'accession à la souveraineté et revêt une portée significative puisqu'il illustre avec le plus d'acuité le problème de légitimité auquel est confronté l'ensemble du Canada dans son rapport avec le Québec et sur lequel la démarche québécoise d'accession à la souveraineté peut moralement se fonder. L'argument constitutionnel prend également d'autres formes et fonde d'ailleurs pour certains le droit à la souveraineté. Mais il ne suffit plus aujourd'hui pour les Québécois, et ses intellectuels, de réitérer, de raffiner les arguments constitutionnels (I), le temps doit être à

⋆ Professeur à la Faculté de droit à l'Université de Montréal.

l'action, celle de proposer, d'élaborer, comme nous le ferons ci-après, un projet de Constitution québécoise (II).

Des arguments constitutionnels

L'argument constitutionnel des Intellectuels pour la souveraineté, de ceux qui l'ont formulé avant eux ou qui épousent aujourd'hui cette thèse, soulève, à titre principal, un problème de légitimité découlant du fait que le nouvel ordre constitutionnel canadien de 1982 n'a pas reçu l'assentiment du Gouvernement et de l'Assemblée nationale du Québec. Ce nouvel ordre a ainsi été conçu par le Gouvernement fédéral et les gouvernements provinciaux et avalisé par la Cour suprême du Canada qui a refusé de reconnaître un droit de veto au Québec sur les modifications à apporter à la Constitution canadienne.

D'aucuns ont suggéré que la *Loi constitutionnelle de 1982* n'était pas dépourvue de légitimité du fait que les députés québécois de la Chambre des communes avaient participé à son adoption et que les trois juges québécois de la Cour suprême, dont il faut sans doute rappeler qu'ils sont nommés par le Gouvernement du Canada, avaient donné le feu vert à son adoption. Mais une telle prétention ne suffit pas à asseoir la légitimité d'une réforme constitutionnelle qui a eu pour conséquence de soumettre l'exercice de l'ensemble des compétences de l'Assemblée nationale du Québec au contrôle ultime d'une Cour suprême du Canada, de réduire les pouvoirs de l'Assemblée nationale en matière d'éducation et de langue et de retenir une formule d'amendement qui consacre la possibilité pour l'État fédéral et les neuf autres provinces d'adopter de nouvelles modifications constitutionnelles sans l'assentiment du Québec.

À défaut d'un consentement exprès du peuple par le biais d'une consultation populaire, le consentement du Québec se devait d'être exprimé non seulement par ses représentants élus à la Chambre des communes, mais aussi par les députés de l'Assemblée nationale du Québec. Mais ces derniers, tant ceux d'allégeance souverainiste que d'allégeance fédéraliste, ont récusé la réforme constitutionnelle imposée au Québec et ont adopté, le 30 novembre 1981, une résolution qui affirmait, avec clarté, l'opposition d'autres représentants élus du Québec, détenteurs également d'une légitimité démocratique, aux changements apportés à la Constitution sans leur consentement.

L'argument constitutionnel des promoteurs de la souveraineté a, nous le constatons bien, un caractère éminemment politique, d'autant qu'il comporte également une dimension contractuelle additionnelle. En effet, l'imposition au Québec de la *Loi constitutionnelle de 1982* constitue au surplus une violation du pacte qui est, selon les Québécois, à l'origine de la fédération et sur lequel est fondé l'appartenance du Québec au Canada. Ce pacte postulait l'existence et la reconnaissance de deux nations fondatrices, et leur droit d'orienter leur avenir sans être subordonnée l'une à l'autre. L'adoption d'une constitution sans l'assentiment du Québec est considérée, à juste titre selon nous, comme une violation du pacte : elle permet dès lors de remettre en question cette appartenance et de choisir une autre voie d'avenir, et notamment la souveraineté. Le recours à la souveraineté s'avère ainsi une voie d'avenir dont la légitimité et la moralité ne sauraient faire de doute.

Les promoteurs de la souveraineté font par ailleurs appel à un argument constitutionnel pour justifier, non plus politiquement et moralement, mais plutôt légalement, l'accession du Québec à la souveraineté. S'ils ne peuvent invoquer une disposition expresse des *Lois constitutionnelles de 1867 à 1982* pour établir un droit du Québec de se retirer de la fédération canadienne et notamment d'accéder à la souveraineté, ils identifient une convention constitutionnelle en vertu de laquelle le Québec peut fonder sa revendication de souveraineté. Cette convention aurait émergé de précédents en vertu desquels les gouvernements du Canada et des provinces ont accepté le fait que le Québec puisse décider librement de son avenir politique et qu'il puisse notamment décider d'opter pour la souveraineté[1]. Ainsi, plusieurs actes assoient une telle convention sur des bases solides. L'élection du Parti québécois en 1976 n'a pas fait l'objet de remise en question en dépit du fait que ce parti proposait l'accession du Québec à la souveraineté du Québec. La participation de ces mêmes gouvernements fédéral et provinciaux, et de leurs représentants, à la campagne référendaire de 1980 constitue par ailleurs un acquiescement au droit qu'aurait le Québec de choisir son avenir. Plus récemment, le processus de détermination de l'avenir politique et constitutionnel du Québec, initié par le Gouvernement du Parti libéral du Québec au lendemain de l'extinction de l'Accord du lac Meech et envisageant l'accession à la souveraineté comme voie privilégiée d'avenir, n'a pas non plus suscité de protestation véritable de la part des gouvernements du Canada, pas davantage que le

---

1. Nous avons promu cet argument dans D. Turp, « Le droit de faire sécession : l'expression du principe démocratique », dans A.-G. Gagnon et F. Rocher (dir.), *Répliques aux détracteurs de la souveraineté du Québec*, Montréal, VLB éditeur, 1992, p. 48. Voir aussi l'opinion formulée récemment par six constitutionnalistes québécois : J.-M. Arbour, A. Lajoie, P. Mackay, G. Tremblay, J.-Y. Morin et F. Crépeau, « Le droit international admet la sécession du Québec : il suffirait que d'importants États reconnaissent le Québec », *Le Devoir*, 18 août 1995, p. A-9.

DANIEL TURP

dépôt et l'adoption du projet de loi 150 qui définissait la souveraineté et prévoyait la tenue d'un référendum sur la souveraineté.

Depuis l'élection de 54 députés du Bloc québécois en octobre 1993 et celle d'un Gouvernement du Parti québécois le 12 septembre 1994, le Gouvernement fédéral et les gouvernements des provinces n'ont pas non plus nié au Québec le droit de se prononcer sur son avenir politique. S'ils expriment à nouveau leur désaccord avec le Gouvernement du Québec et expriment le souhait que les Québécois se prononcent contre le projet de souveraineté dont ce Gouvernement fait la promotion, ils ont en revanche pris acte du fait que l'avant-projet de loi sur la souveraineté prévoyait la proclamation du Québec « comme pays souverain » et n'ont pas non plus élevé d'objection à la poursuite du processus de détermination de l'avenir du Québec. Ils comptent à s'engager dans une nouvelle campagne référendaire dont l'enjeu principal demeurera la question de l'accession du Québec au statut d'État souverain, qui confirmera l'acceptation par le reste du Canada du droit du Québec de choisir librement son avenir. Il est d'ailleurs intéressant de constater à cet égard que le Gouvernement fédéral a refusé d'être associé à la contestation judiciaire de la démarche de l'Assemblée nationale du Québec visant à faire adopter une Loi sur la souveraineté du Québec et qu'il a affirmé de façon explicite vouloir plutôt convaincre les Québécoises et Québécois par la voie politique, que la voie judiciaire. Tous ces actes vont dans le sens d'une convention constitutionnelle en vertu de laquelle le Québec peut choisir, en toute liberté, de déterminer son avenir politique et constitutionnel, et d'opter notamment pour la voie de la souveraineté.

Au-delà des arguments constitutionnels justifier la souveraineté, l'accession à la souveraineté du Québec sera l'occasion pour les Québécoises et les Québécois de participer à l'élaboration d'une constitution à l'image du Québec et de contribuer à un exercice qui redonnerait une crédibilité à la notion de loi fondamentale et de Constitution. On a tant dit et répété ces dernières années que la constitution n'a pas d'importance, qu'il ne faut pas en parler, qu'il est impossible de la changer, que les Québécoises et les Québécois auraient pu dénigrer l'idée même d'une loi fondamentale. Pourtant, il n'en est rien et ils ont participé nombreux à un exercice qui avait des allures d'assemblée constituante pendant « l'hiver de la parole ». Devant les commissions régionales et nationale sur l'avenir du Québec, ils n'ont pas hésité à parler de constitution, comme les y invitait le Gouvernement du Québec. Et cet exercice mérite d'être parachevé, ce que facilitera l'accession du Québec à la souveraineté et permettra que le Québec se donne enfin un État de droit constitutionnel, souverain et démocratique.

Un projet de constitution québécoise

L'idée d'une constitution québécoise germe depuis plusieurs années dans les cercles politiques et intellectuels du Québec, mais on doit constater qu'une telle idée n'a jamais à ce jour pu se matérialiser. Qu'il s'agisse des ambitions du Comité sur la constitution[2], des propositions du député David Payne[3] ou des écrits du professeur Jacques-Yvan

---

2. Sur les travaux de ce Comité, v. J.-Y. Morin, « Pour une nouvelle constitution du Québec », (1985) 30 *R. de D. McGill* 171, p. 174.
3. V. D. Payne, *Pour une constitution du Québec*, Novembre 1984, 42 p.

Morin[4], l'élaboration d'une constitution écrite n'a jamais eu de véritable suite et aucun Gouvernement du Québec n'a voulu véritablement prendre en charge l'élaboration d'une constitution québécoise. Bien que le statut d'État fédéré du Québec ne soit pas un obstacle à ce que celui-ci se donne une véritable constitution[5], il semble qu'un tel statut crée une sorte d'obstacle psychologique à l'initiative constituante et qu'il étouffe toute velléité de donner au Québec un cadre constitutionnel global.

On doit toutefois constater que la possibilité d'une accession du Québec à la souveraineté a entraîné un renouvellement du débat sur une constitution québécoise. Ainsi, des témoignages nombreux devant la Commission sur l'avenir politique et constitutionnel du Québec (Commission Bélanger-Campeau) ont porté sur l'importance de

---

4. Voir J.-Y. Morin, *supra*, note 1. Voir aussi pour une version remaniée de cet article, traitant à la fois de la question d'une constitution pour un Québec autonome et d'un Québec souverain, J.-Y. Morin, « Pour une nouvelle constitution du Québec », dans J.-Y. Morin et J. Woehrling, *Demain le Québec : choix politiques et constitutionnels d'un pays en devenir*, Montréal, Septentrion, 1994.

5. D'ailleurs le Québec possède une constitution interne à titre de province, mais celle-ci est diffuse et comprend certaines dispositions de la *Constitution du Canada* (incluant les 26 *Lois constitutionnelles* et décrets énumérés au paragraphe 52 (2) de la *Loi constitutionnelle de 1982*), une loi québécoise qualifiée de quasi constitutionnelle, la *Charte des droits et libertés de la personne*, et d'autres lois québécoises dites organiques (*Loi sur l'Assemblée nationale, Loi sur l'Exécutif, Loi électorale, Loi sur la consultation populaire, Charte de la langue française*), des conventions constitutionnelles, des règles de *common law* et des décisions judiciaires : voir J.-Y. Morin et J. Woehrling, *Les Constitutions du Canada et du Québec du Régime français à nos jours*, Montréal, Les Éditions Thémis, 1992, p. 141-144.

doter le Québec d'une véritable constitution[6] et un projet de constitution a été d'ailleurs soumis à la Commission par le Parlement étudiant du Québec[7]. Dans son rapport, la Commission Bélanger-Campeau affirmait que « [d]ès la prise d'effet du nouveau statut [d'État souverain], une constitution québécoise entrerait en vigueur pour fonder l'organisation politique et juridique du nouvel État » et que « selon les circonstances il pourrait s'agir d'un document constitutionnel de transition ou d'une loi fondamentale dûment complétée[8]. »

Mais les travaux les plus avancés sur la question de la constitution du Québec seront réalisés dans le cadre de la Commission d'étude des questions afférentes à l'accession du Québec à la souveraineté[9]. Cette commission sollicitera les professeurs Jacques-Yvan Morin[10] et Nicole

---

6. Voir *inter alia* les témoignages des avocats du Barreau du Québec et professeurs de droit de l'Université d'Ottawa, *Pour un déblocage juridique de l'impasse constitutionnelle,* dont des extraits sont reproduits dans A.-G. Gagnon et D. La touche, *Allaire, Bélanger, Campeau et les autres : les Québécois s'interrogent sur leur avenir,* Montréal, Québec/Amérique, 1991, p. 271-272.

7. Voir Parlement étudiant du Québec, Comité constitutionnel, *Avant-projet de loi – Loi constitutionnelle de 1991,* annexe *Constitution du Québec,* 1991, 43 p.

8. Commission sur l'avenir politique et constitutionnel du Québec, *Rapport,* p. 60.

9. Pour préparer les travaux de la Commission sur cette question, le Secrétariat avait produit un document intitulé *L'élaboration d'une constitution,* document n° 21, 12 décembre 1991, 9 p.

10. Voir J.-Y. Morin, « La constitution d'un Québec souverain », dans Commission d'étude des questions afférentes à l'accession du Québec à la souveraineté, *Les attributs d'un Québec souverain,* Exposés et études, volume 1, p. 597-607.

Duplé[11] pour présenter des esquisses d'une constitution québécoise et entendra ces deux experts présenter leur propositions respectives. D'autres experts évoqueront également la question de la transition constitutionnelle dans leurs exposés et études[12]. Bien que cette Commission ne fera pas de recommandations à cet égard, le projet de rapport de celle-ci consacre un développement important à la question du nouvel ordre constitutionnel d'un Québec souverain et y aborde la question de la forme de la constitution, du régime constitutionnel provisoire et définitif et du contenu de la constitution[13].

L'élection du Parti québécois le 12 septembre dernier a eu comme conséquence de réanimer le débat sur une constitution québécoise et le Gouvernement issu de ce parti est le premier Gouvernement québécois à avoir formulé l'intention de doter le Québec d'une véritable constitution. Cette intention est formulée dans l'*Avant-projet de loi sur la souveraineté* dont l'article 3 traite de la question d'une « Nouvelle constitution [14]. » Cet article 3 de l'*Avant-projet de*

---

11. N. Duplé, « Une constitution pour fonder l'État du Québec », dans Commission d'étude des questions afférentes à l'accession du Québec à la souveraineté, *Les attributs d'un Québec souverain*, Exposés et études, volume 1, p. 581-595.

12. V. *inter alia*, D. Turp, *ibid*, p. 674.

13. Voir Commission d'étude des questions afférentes à l'accession du Québec à la souveraineté, *Projet de rapport*, p. 48-52.

14. L'article 3 de l'*Avant-projet de loi sur la souveraineté* se lit ainsi :
« Le gouvernement doit, conformément aux modalités prescrites par l'Assemblée nationale, pourvoir à l'élaboration d'un projet de constitution pour le Québec et à son adoption.
Cette constitution doit inclure une charte des droits et libertés de la personne. Elle doit garantir à la communauté anglophone la préservation de son identité et de ses institutions. Elle doit également reconnaître aux nations autochtones le droit de se gouverner sur des terres leur appar-

loi consacrerait l'obligation pour le Gouvernement du Québec de pourvoir à l'élaboration d'un projet de constitution d'un Québec souverain visant à rassembler dans une loi fondamentale les règles constitutionnelles existantes, mais également celles qui sont rendues nécessaires par l'accession du Québec à la souveraineté. Ce même article s'intéresse au contenu de l'éventuelle Constitution du Québec souverain et met l'accent sur certains éléments que ce projet de constitution d'un Québec souverain devrait comprendre, telles une Charte des droits et libertés de la personne, la garantie et la reconnaissance de droits à la communauté anglophone et aux nations autochtones de même que la décentralisation des pouvoirs aux instances locales et régionales[15].

L'article 3 de l'*Avant-projet de loi* a donné lieu à de multiples débats devant les commissions régionales et nationale sur l'avenir du Québec et toutes les composantes de cet article ont fait l'objet de recommandations de la part des commissions. Si des suggestions utiles ont été faites au sujet de la charte des droits et libertés, des droits de la communauté anglophone et des nations autochtones et de la décentralisation des pouvoirs[16], c'est la question de l'élaboration même de la constitution qui a suscité les réactions les

---

tenant en propre. Cette garantie et cette reconnaissance s'exercent dans le respect de l'intégrité du territoire québécois.

La constitution prévoira la décentralisation de pouvoirs spécifiques aux institutions locales et régionales ainsi que des ressources fiscales et financières adéquates pour leur exercice. »

15. Pour un commentaire plus élaboré sur chacune des composantes de l'article 3 de l'avant-projet de loi, v. D. Turp, *Avant-projet de loi sur la souveraineté du Québec : texte annoté*, Montréal, Éditions Yvon Blais, 1995, p. 36-45.

16. Pour un résumé de ces recommandations, v. D. Turp, *ibid.*, p. 45-48.

plus nombreuses. Celles-ci ont porté principalement sur la démarche de rédaction et d'approbation de la future constitution d'un Québec souverain. En faisant la synthèse des recommandations des diverses commissions régionales, la Commission nationale a recommandé à cet égard que la rédaction de la constitution soit confiée à une assemblée constituante composée d'un nombre égal d'hommes et de femmes, sans qu'elle ne propose de modalités précises de désignation ou d'élection des membres d'une telle assemblée. En revanche, elle insistait, comme plusieurs commissions régionales, pour que le projet de Constitution soit soumis à la population par voie de référendum, mais ne tranchait pas la question de savoir si ce référendum devait avoir lieu avant, au même moment ou après la tenue du référendum prévu à l'article 17 de l'*Avant-projet de loi* et visant à faire approuver le projet de loi lui-même.

Dans son *Projet de loi sur la souveraineté*, déposé au début du mois de septembre 1995, le Gouvernement du Québec devrait trancher cette dernière question, de même qu'il devrait bonifier la disposition sur la « Nouvelle Constitution » pour tenir compte des suggestions des citoyens et des recommandations des commissions régionales et nationale sur ces questions. Si le Gouvernement reçoit de la population du Québec l'autorisation de proclamer la souveraineté et de pourvoir à l'élaboration d'une nouvelle constitution, il devrait entreprendre un exercice visant à doter le Québec d'une constitution qui contiendrait non seulement les éléments évoqués dans l'article 3 de l'*Avant-projet de loi sur la souveraineté*, mais les autres questions qui sont généralement abordées dans le texte d'une constitution écrite.

Ainsi, l'on doit s'attendre à ce qu'on y décrive la forme de l'État (monarchique ou républicaine, unitaire ou fédérale), ses organes (chef d'État, Gouvernement, Assemblée nationale ou Chambre des représentants, tribunaux) et l'aménagement des rapports entre les organes législatif, exécutif et judiciaire. La constitution devrait également contenir des dispositions concernant les relations extérieures de l'État et les pouvoirs de conclusion et de mise en œuvre des traités internationaux, de même que des articles sur les rapports entre les règles du droit international et du droit interne. Une procédure de révision de la Constitution devrait enfin y être incluse.

Nous avons rédigé un projet de Constitution québécoise qui comporte des dispositions sur l'ensemble des matières que nous considérons devoir être traitées dans la Constitution. Nous reproduisons ce projet en annexe du présent texte dans l'espoir qu'il puisse susciter des commentaires, suggestions et débats et inspirer le futur constituant québécois.

Le projet contient un court préambule qui reprend certaines formules qui avaient été retenues dans les préambules de la *Loi instituant la Commission sur l'avenir politique et constitutionnel du Québec*, la *Loi sur le processus de détermination de l'avenir politique et constitutionnel du Québec* et certains autres textes fondamentaux. Il cherche à consacrer l'État québécois comme État de droit constitutionnel, souverain et démocratique, à mettre l'accent sur la liberté individuelle, la justice sociale et le pluralisme politique. Il exprime la volonté de rassembler les Québécois autour d'une langue commune, le français, mais rappelle l'existence des collectivités qui peuplent le Québec et les droits qui doivent leur être garantis. Il plaide pour de bonnes relations entre le Québec et les autres États et peuples de la Terre et évoque le devoir solennel du Québec de protéger et d'améliorer l'environnement pour les générations présentes et futures.

Certains éléments du préambule sont repris dans le titre I du projet qui concerne l'État et la souveraineté, telles les dispositions sur les principes directeurs de l'État qui insistent sur le fait que l'État québécois est un État de droit, qui repose sur une Constitution, détient la souveraineté et est doté d'un régime démocratique. Le rappel de l'essence et de l'exercice da la souveraineté permet d'affirmer que la souveraineté réside dans la communauté de destin formée par l'ensemble des Québécoises et des Québécois, d'identifier les instruments (élections et référendums) et les principaux organes (Assemblée nationale, Gouvernement, président et Cour suprême) de la souveraineté et d'affirmer clairement que la constitution est la loi suprême. L'article 3 sur la langue vise à réitérer le statut du français comme langue officielle, mais aussi à reconnaître que les langues anglaise et autochtones font partie du patrimoine culturel du Québec. Certains signes actuels d'identité du Québec sont consignés dans l'article 4 du projet de Constitution, alors que les villes de Québec et de Montréal voient leur qualité respective de capitale et de métropole consacrée.

Le titre II du projet fait la nomenclature des droits, libertés et responsabilités de la personne. Il reprend pour l'essentiel, mais en les regroupant et les réaménageant, les droits contenus dans les articles 1 à 48 de la *Charte des droits et libertés de la personne* du Québec, y compris les droits économiques et sociaux du chapitre IV de cette Charte. Mais une clause nouvelle, portant sur les garanties, restrictions et suspensions, a été rédigée pour encadrer l'exercice des droits. La clause de garantie du paragraphe premier de l'article 5 prévoit l'existence d'un recours et est inspiré de l'article 24 de la *Charte canadienne des droits et libertés*, tout comme la clause de limitation du paragraphe 2 dont la terminologie est identique à celle que l'on retrouve à l'ar-

terminologie est identique à celle que l'on retrouve à l'article premier de la *Charte canadienne*. Toutefois, les paragraphes 3 et 4 apportent des modifications majeures à l'exercice du pouvoir de suspension des droits et libertés reconnu aux articles 52 de la *Charte québécoise* et 33 de la *Charte canadienne*. Il ne permet qu'une suspension a posteriori et oblige, à cette fin, le législateur à adopter une loi, à la majorité des deux tiers. Comme le prévoit l'article 33 de la *Charte canadienne*, une telle loi n'a d'effet que pour cinq ans, mais elle peut être renouvelée. De plus, le paragraphe 4 intangibilise certains droits en les protégeant contre toute suspension. La liste des droits intangibles correspond à celle que l'on retrouve à l'article 4 du *Pacte international relatif aux droits civils et politiques*, mais aussi à la *Convention américaine des droits de l'Homme* à laquelle le Québec pourrait vouloir devenir partie. Pour donner suite aux représentations faites devant les commissions régionales et nationale, le titre 2 se termine par ailleurs par une disposition affirmant que « [t]oute personne a des responsabilités envers la famille, la communauté et l'humanité dans laquelle seul son libre et plein développement est possible ».

Le titre 3 vise à reconnaître, non plus les droits des personnes, mais les droits des collectivités. Les droits des nations autochtones sont reconnus en premier lieu et l'article 25 vise en outre à garantir les droits actuellement reconnus par la Constitution canadienne aux nations autochtones. Ainsi, le paragraphe 2 de l'article 25 reprend le contenu de l'article 35 de la *Loi constitutionnelle de 1982* et réfère aux droits existants, ancestraux ou issus des traités, tout en ajoutant que les droits issus des traités conclus après l'entrée en vigueur de la présente constitution jouiront de la même protection. Les deux autres paragraphes de l'article 25 sont quant à eux inspirés des principales dispositions de

par l'Assemblée nationale du Québec le 20 mars 1985. À
l'article 26, la communauté anglophone se voit reconnaître
quant à elle le droit collectif à la préservation et au libre
développement de son identité historique, linguistique et
culturelle et de ses institutions, alors que des droits individuels en matière d'utilisation de la langue anglaise, d'instruction dans celle-ci et de gestion des établissements
d'enseignement et des établissement publics qui dispensent
en langue anglaise un service d'intérêt général éducatif,
sanitaire, religieux ou culturel sont également reconnus.
L'article 27 concerne les communautés ethnoculturelles,
dont la participation au développement du Québec est sou-
lignée, et celui-ci octroie en outre aux personnes appartenant à ces communautés les droits qui leur sont actuellement garantis par l'article 43 de la *Charte des droits et libertés
de la personne* du Québec.

Dans ce titre, il a paru opportun d'inclure un article sur
les collectivités régionales et locales et y introduire des
dispositions d'ordre très général, analogues à celles contenues à l'article 3 de l'*Avant-projet de loi sur la souveraineté*,
mais aussi inspirées par les dispositions de la Constitution
française sur cette matière. Ainsi, l'article 26 prévoit-il que
« [l]e Québec est un État décentralisé qui garantit aux
collectivités régionales et locales le droit d'organiser une
gestion autonome dans leurs domaines de compétence et
grâce à des sources de financement ». Mais il nous a paru
opportun d'ajouter que la « décentralisation des pouvoirs de
gestion et de taxation ne doit pas faire obstacle à la politique gouvernementale d'atténuation des disparités régionales et locales ». Enfin, une dernière disposition de ce titre
précise que « [l]es droits et libertés des collectivités s'exercent dans le respect de la Constitution, des lois et du territoire du Québec ».

Le plus important titre de notre projet de constitution concerne les institutions du Québec. Le titre 4 du projet se divise en quatre chapitres consacrés respectivement à l'Assemblée nationale, au Gouvernement, au président et à la Cour suprême. Pour l'essentiel, les dispositions du titre 4 reconduisent les institutions et le régime parlementaire actuels, mais nous avons voulu proposer certaines innovations dans ce chapitre.

Parmi les dispositions de ce titre qui méritent d'être soulignées, on peut mentionner au sujet de l'Assemblée nationale la proposition de tenir les élections législatives à date fixe, à tous les quatre ans, le premier dimanche de mai (art. 29), l'obligation d'adopter une loi dérogeant aux droits et libertés à la majorité des deux tiers (art. 33 § 2), l'existence d'un référendum décisionnel (art. 33 § 3) et un article sur l'état d'exception, dont les modalités d'adoption par l'Assemblée nationale sont décrites à l'article 34, lequel contient également un paragraphe interdisant toute suspension des articles considérés comme déjà protégés par l'article 5 § 3.

Au sujet de Gouvernement du Québec, la principale innovation résiderait dans le fait qu'un certain nombre de personnalités non élues pourraient accéder au Gouvernement, à titre de ministre, s'ils sont élus dans l'année suivant leur nomination comme ministre, ou comme secrétaire d'État. Dans ce dernier cas, la condition de l'élection ne serait pas applicable, mais le Premier ministre ne pourrait pas faire appel à plus de cinq secrétaires d'État non élus (art. 36 § 3).

Deux nouvelles institutions doivent être créées par la Constitution du Québec : le président et la Cour suprême. La fonction de président du Québec est instituée quant à elle au chapitre 3 du titre 4 et les articles 40 et 41 du projet

DANIEL TURP

elle au chapitre 3 du titre 4 et les articles 40 et 41 du projet confèrent au président le rôle de garantir la continuité et l'indépendance de l'État, de veiller au respect de l'ordre constitutionnel, de même qu'ils lui confèrent la responsabilité de présider aux solennités et d'assumer la plus haute représentation de l'État québécois dans les relations internationales. Les conditions d'éligibilité à la présidence sont définies à l'article 41 et prévoient entre autres que le mandat de président est incompatible avec celui de député et qu'un président ne peut se faire élire à la présidence plus de deux fois. Le mode d'élection du président est prévu par l'article 42 et stipule que le chef de l'État doit obtenir les voix de la majorité des deux tiers du nombre légal des députés. Pour assurer la continuité de l'État entre les changements de Gouvernement, il est proposé de limiter le mandat présidentiel à six ans (art. 42 § 2). Les pouvoirs présidentiels sont énumérés à l'article 43 et comprennent notamment des pouvoirs en matière internationale, le droit de grâce, de nomination de fonctionnaires et de dissolution de l'Assemblée, mais seulement, dans ce dernier cas, à la demande du Premier ministre. En ce qui concerne la Cour suprême, il importe surtout de signaler qu'elle serait composée, comme l'actuelle Cour suprême du Canada, de 9 membres, mais que trois membres seraient nommés par le Premier ministre, trois par le président de l'Assemblée nationale et trois par le président du Québec, ce dernier désignant le président de la Cour (art. 49). La Cour suprême comprendrait par ailleurs une chambre constitutionnelle qui serait chargée de se prononcer sur la conformité des lois et des traités à la Constitution (art. 50). La saisine de la chambre constitutionnelle pourrait se faire par le Premier ministre, le président de l'Assemblée nationale ou trente-cinq députés (art. 50 § 3), mais le contrôle de la constitutionnalité par la chambre pourrait également être exercé sur une demande de renvoi d'un juge des autres tribunaux du Québec.

Le titre 5 du projet de constitution se veut quant à lui original et se rapporte à la Communauté internationale et à l'Union canadienne. Certaines de ses dispositions sont inspirées de la Constitution de la République française et de ses plus récentes modifications. L'article 52 concerne la participation à la communauté internationale et prévoit en outre la possibilité pour le Québec de transférer des compétences à des institutions internationales à vocation universelle ou régionale. Mais un tel transfert ne pourrait être effectué qu'avec l'assentiment de l'Assemblée nationale et des citoyens par référendum. Il en irait de même pour les transferts effectués au bénéfice d'une Union canadienne, dont il est question à l'article 53 du projet de Constitution et qui désigne l'union ou le partenariat économique et politique que le Canada et le Québec pourraient constituer. De tels transferts ne pourraient être effectués qu'avec l'assentiment de l'Assemblée nationale et des citoyens par référendum. Les paragraphes 3 des articles 52 et 53 prévoient que les décisions des institutions internationales ou de l'Union canadienne, auxquelles le Québec devrait se conformer, primeraient sur les lois et feraient naître des droits et des obligations pour les habitants du territoire québécois. Le titre 5 comporte aussi un dernier article (54) qui porte sur la procédure de conclusion des traités du Québec et sur les effets des traités en droit interne, de même qu'il régit l'application des règles coutumières et des principes généraux dans l'ordre juridique québécois.

En ce qui concerne la révision de la constitution, il a d'abord été prévu que la disposition faisant de l'État québécois un État de droit constitutionnel, souverain et

55 § 1). L'initiative de révision appartient aux membres de l'Assemblée nationale, mais toute proposition de révision constitutionnelle est assujettie au référendum (art. 55 § 1). Nous avons prévu que les révisions des articles relatifs aux droits, libertés et responsabilités des personnes et des collectivités (art. 5 à 27) devaient donner lieu à une consultation des collectivités concernées et que les révisions à ces articles devaient recueillir les voix de la moitié du nombre légal des députés pour pouvoir être soumises à un référendum. Le titre 7 du projet de constitution concerne l'entrée en vigueur de la constitution. Cette nouvelle constitution requerrait une adoption par la majorité du nombre légal de députés et une approbation de la population par référendum. L'article 59 concerne les modalités de promulgation et d'entrée en vigueur de la première constitution et de ses modifications ultérieures, mais contient, en son paragraphe 3, une disposition transitoire selon laquelle le droit en vigueur avant la publication de la constitution continue d'être en vigueur dans la mesure où il n'est pas contraire à l'ordre constitutionnel. Le dernier article (60) du projet vise à assurer la meilleure diffusion et connaissance de la Constitution en prévoyant que sa version française est officielle, qu'elle est également publiée en langue anglaise et dans les langues autochtones et que toute personne peut se procurer le texte de la constitution en s'adressant au président de l'Assemblée nationales. Enfin, les établissements d'enseignement sont invités à inclure dans leur programme d'éducation des cours destinés à faire connaître le contenu de la constitution.

★ ★ ★

Au moment où le Québec s'engage dans une nouvelle campagne référendaire, il faut espérer que les débats sur l'avenir du Québec éclaireront la décision que les Québécois prendront sur leur avenir. Parmi ces débats figurent bien entendu la question de l'opportunité de choisir et de proclamer la souveraineté et celle d'offrir au Canada un partenariat économique et politique. Mais, sans doute, importera-t-il de se rappeler que le Québec devrait pouvoir se donner une constitution, une constitution à son image, à l'image d'un peuple qui pourrait à travers celle-ci se reconnaître, révéler ses choix de société et créer des institutions pour mettre en œuvre de tels choix.

Le Québec contemporain ne peut se retrouver dans une constitution canadienne qui lui a été imposée et qui l'a d'ailleurs dépourvu des moyens pour assurer les changements constitutionnels qui s'imposeraient pour répondre à ses attentes de développement économique, social et culturel. Il reste aux Québécois de poser un acte de courage et de lucidité, de prendre « la ligne du risque » pour construire un pays et se doter d'un véritable État de droit, constitutionnel, souverain et démocratique.

ANNEXE 1

Projet de constitution du Québec

PRÉAMBULE

CONSIDÉRANT que les Québécoises et les Québécois sont libres d'assumer leur propre destin, de déterminer leur statut politique et d'assurer leur développement économique social et culturel ;

Considérant qu'il y a un besoin de donner au Québec une Constitution dans laquelle tous les Québécois et les Québécoises érigeront un État de droit constitutionnel, souverain et démocratique et dans laquelle l'égalité entre l'homme et la femme sera reconnue ;

Considérant l'attachement du Québec à la liberté individuelle, à la justice sociale et au pluralisme politique ;

Considérant l'importance de l'objectif d'assurer la qualité et le rayonnement de la langue française et d'en faire la langue commune des Québécoises et des Québécois ;

Considérant que le Québec entend poursuivre cet objectif dans un esprit de justice et d'ouverture, dans le respect des droits et des institutions de la communauté anglophone du Québec ;

Considérant que le Québec reconnaît aux nations autochtones du Québec le droit de se gouverner et de développer leur identité et leur culture propre et d'assurer le progrès de leurs nations ;

Considérant que le Québec juge primordial l'apport des communautés ethnoculturelles au développement du Québec ;

Considérant l'importance de collaborer au renforcement de relations amicales et de la coopération entre les États et peuples de la terre ;

Considérant le devoir solennel du Québec de protéger et d'améliorer l'environnement pour les générations présentes et futures ;

En conséquence les dispositions ci-après sont acceptées comme étant la Constitution du Québec :

UN PROJET DE CONSTITUTION

TITRE PREMIER – DE L'ÉTAT ET DE LA SOUVERAINETÉ

Article premier – Principes fondateurs de l'État

1. Le Québec se constitue en un État de droit constitutionnel, souverain et démocratique. Ses valeurs essentielles sont la liberté individuelle, la justice sociale et le pluralisme politique.
2. Le Québec est l'État de tous ses citoyens. À défaut d'autres recours, les Québécoises et les Québécois ont le droit de résister à quiconque renverserait le régime démocratique.

Article 2 – Essence et exercice de la souveraineté

1. La souveraineté nationale réside en la communauté de destin formée par l'ensemble des Québécoises et des Québécois ; elle est exercée par le moyen d'élections et de référendums. Le suffrage populaire est toujours universel, direct, égalitaire et secret.
2. Les organes responsables de l'exercice délégué de la souveraineté populaire sont l'Assemblée nationale, le Gouvernement, le président du Québec et la Cour suprême. Ces organes doivent respecter les principes de séparation et d'interdépendance des pouvoirs.
3. Tout pouvoir politique est soumis à l'ordre constitutionnel et doit être exercé conformément à la Constitution. Le régime doit permettre le pluralisme de l'expression et de l'organisation politiques démocratiques, ainsi que le respect des droits fondamentaux et des libertés essentielles et la garantie de leur exercice et de leur usage.
4. La présente Constitution est la loi suprême du Québec. Elle rend inopérantes les dispositions incompatibles de toute autre règle de droit.

DANIEL TURP

Article 3 – Langues de l'État

1. Le français est la langue officielle de l'État québécois.
2. La langue anglaise et les langues autochtones participent avec le français à la richesse linguistique du Québec et constituent un patrimoine culturel qui doit être l'objet d'une protection et d'un respect particuliers.

Article 4 – Signes d'identité de l'État

1. Le drapeau du Québec est le fleurdelisé. Il est composé de quatre fleurs de lis blanches sur fond bleu azur séparées par deux bandes blanches croisées verticalement et horizontalement.
2. La capitale de l'État est la ville de Québec. La ville de Montréal détient le statut de métropole du Québec.
3. La devise de l'État est « Je me souviens ».

TITRE 2 – DES DROITS, LIBERTÉS ET RESPONSABILITÉS DES PERSONNES

Article 5 – Garanties, restrictions et suspension

1. Le présent titre garantit les droits et libertés qui y sont énoncés. Toute personne, victime de violation des droits et libertés qui lui sont garantis par le présent titre, peut s'adresser à un tribunal compétent pour obtenir la réparation que le tribunal estime convenable et juste eu égard aux circonstances.
2. Les droits et libertés garantis par le présente titre ne peuvent être restreints que par une règle de droit, dans des limites qui soient raisonnables et dont la justification puisse se démontrer dans le cadre d'une société libre et démocratique.
3. Si une loi et une disposition de loi de l'Assemblée nationale du Québec a été invalidée comme étant contraire à l'un des droits et libertés garantis par le présent titre, l'Assemblée nationale peut adopter une loi suspendant les droits et libertés prévus dans le présent titre. Une telle loi cesse d'avoir effet à la date qui y est

précisée ou, au plus tard, cinq ans après son entrée en vigueur. L'Assemblée nationale peut adopter de nouveau une telle loi. L'Assemblée nationale ne peut adopter une telle loi que selon les modalités prévues au paragraphe 2 de l'article 33.

4. Le paragraphe précédent n'autorise aucune suspension des paragraphes 1 et 2 de l'article 6, du paragraphe 1 de l'article 8, de l'article 13, du sous-paragraphe 1g) de l'article 16 et de l'article 21. Il n'autorise pas non plus la suspension des garanties juridiques indispensables à la protection des droits susvisés.

Article 6 – Droit à la vie

1. Tout être humain a droit à la vie, ainsi qu'à la sûreté, à l'intégrité et à la liberté de sa personne.
2. En aucun cas, un être humain peut être soumis à la peine de mort, à la torture ni à des peines ou traitements cruels, inhumains ou dégradants.
3. Tout être humain possède également la personnalité juridique.
4. Tout être humain dont la vie est en péril a droit au secours. Toute personne doit porter secours à celui dont la vie est en péril, personnellement ou en obtenant du secours, en lui apportant l'aide physique nécessaire et immédiate, à moins d'un risque pour elle ou pour les tiers ou d'un autre motif raisonnable.

Article 7 – Droit à la vie privée

1. Toute personne a droit à la sauvegarde de sa dignité, de son honneur et de sa réputation.
2. Toute personne a droit au respect de sa vie privée.

Article 8 – Droit à la liberté

1. Toute personne est titulaire de la liberté de conscience et de religion.
2. Elle est également tiutlaire de la liberté d'opinion, la liberté d'expression, la liberté de réunion pacifique et la liberté d'association.

3. Nul ne peut être privé de sa liberté ou de ses droits, sauf pour les motifs prévus par la loi et suivant la procédure prescrite.
4. Nul ne peut faire l'objet de saisies, perquisitions ou fouilles abusives.

Article 9 – Liberté de circulation et d'établissement

1. Tous les citoyens jouissent de la liberté de circuler sur tout le territoire national et de choisir librement leur lieu de résidence.
2. Tous les citoyens ont le droit d'émigrer, de quitter librement le territoire national, et d'y revenir.

Article 10 – Droit de propriété

1. Toute personne a droit à la jouissance paisible et à la libre disposition de ses biens, sauf dans la mesure prévue par la loi.
2. La demeure est inviolable.
3. Nul ne peut pénétrer chez autrui ni y prendre quoi que ce soit sans son consentement exprès ou tacite.

Article 11 – Droit au secret professionnel

1. Chacun a droit au respect du secret professionnel.
2. Toute personne tenue par la loi au secret professionnel et tout prêtre ou autre ministre du culte ne peuvent, même en justice, divulguer les renseignements confidentiels qui leur ont été révélés en raison de leur état ou profession, à moins qu'ils n'y soient autorisés par celui qui leur a fait ces confidences ou par une disposition expresse de la loi.
3. Le tribunal doit, d'office, assurer le respect du secret professionnel.

Article 12 – Droit à l'égalité

1. Toutes les personnes sont égales devant la loi et ont droit sans discrimination à une égale protection de la loi. À cet égard, la loi

doit interdire toute discrimination, notamment d'âge, de couleur, d'état civil, de grossesse, de handicap, de langue, de naissance, d'opinion politique et de toute autre opinion, d'origine nationale ou sociale, d'orientation sexuelle, de race, de religion, de sexe ou de toute autre situation.

2. Le paragraphe précédent n'a pas pour effet d'interdire les lois, programmes ou activités destinés à améliorer la situation d'individus ou de groupes défavorisés, notamment du fait de leur âge, couleur, état civil, grossesse, handicap, langue, naissance, opinion politique et toute autre opinion, origine nationale ou sociale, orientation sexuelle, race, religion, sexe ou toute autre situation.

3. Nul ne doit harceler une personne en raison de l'un des motifs visés au paragraphe 1 du présent article, ni diffuser, publier et exposer en public un avis, un symbole ou un signe comportant discrimination, ou encore donner une autorisation à cet effet.

Article 13 – Droits politiques

1. Toute personne a le droit de soumettre à l'Assemblée nationale des pétitions, des représentations, des réclamations ou des plaintes pour défendre ses droits, l'ordre constitutionnel ou l'intérêt général.

2. Tous les citoyens ont le droit de prendre part à la vie politique et à la direction des affaires publiques de l'État, directement ou par l'intermédiaire de représentants librement élus, et sont éligibles aux élections nationales.

3. Tous les citoyens majeurs de plus de dix-huit ans disposent du droit de vote, sauf incapacité prévue par la loi, lors des élections et référendums.

Article 14 – Droit à une audition

1. Toute personne a droit, en pleine égalité, à une audition publique et impartiale de sa cause par un tribunal indépendant et qui ne soit pas préjugé, qu'il s'agisse de la détermination de ses

droits et obligations ou du bien-fondé de toute accusation portée contre elle.

2. Le tribunal peut toutefois ordonner le huis clos dans l'intérêt de la morale ou de l'ordre public. Toute personne a droit de se faire représenter par un avocat ou d'en être assistée devant tout tribunal.

3. Une personne ne peut être jugée de nouveau pour une infraction dont elle a été acquittée ou dont elle a été déclarée coupable en vertu d'un jugement passé en force de chose jugée.

4. Aucun témoignage devant un tribunal ne peut servir à incriminer son auteur, sauf le cas de poursuites pour parjure ou pour témoignages contradictoires.

Article 15 – Droits d'une personne arrêtée ou détenue

1. Toute personne arrêtée ou détenue
a) doit être traitée avec humanité et avec le respect dû à la personne humaine ;
b) a droit d'être promptement informée, dans une langue qu'elle comprend, des motifs de son arrestation ou de sa détention ;
c) a droit, sans délai, d'en prévenir ses proches et de recourir à l'assistance d'un avocat. Elle doit être promptement informée de ces droits ;
d) doit être promptement conduite devant le tribunal compétent ou relâchée ;
e) ne peut être privée, sans juste cause, du droit de recouvrer sa liberté sur engagement, avec ou sans dépôt ou caution, de comparaître devant le tribunal dans le délai fixé.

2. Toute personne détenue dans un établissement de détention
a) a droit d'être soumise à un régime distinct approprié à son sexe, son âge et sa condition physique ou mentale ;
b) a droit, en attendant l'issue de son procès, d'être séparée, jusqu'au jugement final, des prisonniers qui purgent une peine.

3. Toute personne privée de sa liberté a droit de recourir à l'habeas corpus.

Article 16 – Droits d'une personne accusée

1. Toute personne accusée
a) a le droit d'être promptement informée de l'infraction particulière qu'on lui reproche ;
b) a le droit d'être jugée dans un délai raisonnable ;
c) est présumée innocente jusqu'à ce que la preuve de sa culpabilité ait été établie suivant la loi ;
d) a droit à une défense pleine et entière et a le droit d'interroger et de contre-interroger les témoins.
e) a le droit d'être assistée gratuitement d'un interprète si elle ne comprend pas la langue employée à l'audience ou si elle est atteinte de surdité.
f) ne peut être contrainte de témoigner contre elle-même lors de son procès.

2. Toute personne accusée
a) ne peut être condamnée pour une action ou une omission qui, au moment où elle a été commise, ne constituait pas une infraction d'après le droit interne du Québec et n'avait pas de caractère criminel en vertu de traités, de règles coutumières ou de principes généraux de droit ;
b) a droit à la peine la moins sévère lorsque la peine prévue pour l'infraction a été modifiée entre la perpétration de l'infraction et le prononcé de la sentence ;
c) a droit à un procès par jury, lorsque la peine prévue est de 5 ans d'emprisonnement ou plus.

Article 17 – Droit à l'éducation

1. Toute personne a droit, dans la mesure et suivant les normes prévues par la loi, à l'instruction publique gratuite.
2. Les parents ou les personnes qui en tiennent lieu ont le droit d'exiger que, dans les établissements d'enseignement publics, leurs enfants reçoivent un enseignement religieux ou moral conforme à leurs convictions, dans le cadre des programmes prévus par la loi.

3. Les parents ou les personnes qui en tiennent lieu ont le droit de choisir pour leurs enfants des établissements d'enseignement privés, pourvu que ces établissements se conforment aux normes prescrites ou approuvées en vertu de la loi.

Article 18 – Droit à l'information

Toute personne a droit à l'information, dans la mesure prévue par la loi.

Article 19 – Droit à un niveau de vie décent

Toute personne dans le besoin a droit, pour elle et sa famille, à des mesures d'assistance financière et à des mesures sociales, prévues par la loi, susceptibles de lui assurer un niveau de vie décent.

Article 20 – Droit au travail

Toute personne qui travaille a droit, conformément à la loi, à des conditions de travail justes et raisonnables et qui respectent sa santé, sa sécurité et son intégrité physique.

Article 21 – Droits relatifs à la famille

1. Tout enfant a droit à la protection, à la sécurité et à l'attention que ses parents ou les personnes qui en tiennent lieu peuvent lui donner.
2. Les époux ont, dans le mariage, les mêmes droits, obligations et responsabilités. Ils assurent ensemble la direction morale et matérielle de la famille et l'éducation de leurs enfants communs.
3. Toute personne âgée ou toute personne handicapée a droit d'être protégée contre toute forme d'exploitation.
4. Toute personne a aussi droit à la protection et à la sécurité que doivent lui apporter sa famille ou les personnes qui en tiennent lieu.

Article 22 – Responsabilités

Toute personne a des responsabilités envers la famille, la communauté et l'humanité dans laquelle seule son libre et plein développement est possible.

TITRE 3 – DES DROITS, LIBERTÉS ET RESPONSABILITÉS DES COLLECTIVITÉS

Article 23 – Nations autochtones

1. Les nations autochtones du Québec sont les Abénaquis, les Algonkins, les Attikameks, les Cris, les Hurons, les Inuit, les Malécites, les Micmacs, les Mohawks, les Montagnais et les Naskapis. Le Québec reconnaît que les autochtones forment des nations distinctes dont il importe de préserver l'identité et la participation au développement du Québec.
2. Les droits existants, ancestraux ou issus des traités des nations autochtones du Québec sont reconnus et garantis. Les droits issus des traités conclus ultérieurement à l'entrée en vigueur de la présente Constitution jouissent de la même protection.
3. Les nations autochtones ont le droit d'utiliser, de développer, de revitaliser et de transmettre aux générations futures leurs traditions orales, religieuses et culturelles.
4. L'autonomie gouvernementale des nations autochtones est le droit d'avoir et de contrôler, dans le cadre d'ententes avec le Gouvernement du Québec, des institutions qui correspondent à leurs besoins dans les domaines de la culture, de l'éducation, de la langue, des services sociaux et du développement économique.

Article 24 – Communauté anglophone

1. La communauté anglophone a droit à la préservation et au libre développement de son identité historique, linguistique et culturelle et de ses institutions.

2. Les personnes appartenant à la communauté anglophone doivent être en mesure d'utiliser la langue anglaise dans l'exercice de tous leurs droits civils et politiques.

3. Les enfants, dont les parents ont reçu une instruction en langue anglaise au Québec ou au Canada au niveau primaire ou secondaire, ont le droit de recevoir un enseignement élémentaire et secondaire en anglais.

4. Les personnes appartenant à la communauté anglophone ont un droit de gestion à l'égard des établissements d'enseignement qui offrent un enseignement élémentaire et secondaire en anglais et des établissements publics qui dispensent en langue anglaise un service d'intérêt général éducatif, sanitaire, religieux ou culturel.

Article 25 – Communautés ethnoculturelles

1. Le Québec reconnaît que les communautés ethnoculturelles contribuent à la diversité et participent au développement du Québec.

2. Les personnes appartenant à des communautés ethnoculturelles ne peuvent être privées du droit d'avoir, en commun, avec les autres membres de leurs communautés leur propre vie culturelle, de professer et pratiquer leur propre religion et d'employer leur propre langue.

Article 26 – Collectivités régionales et locales

1. L'État du Québec se compose de collectivités régionales et locales qui sont des divisions territoriales dotées d'une personnalité juridique propre. Le nombre de divisions territoriales ne peut être modifié que par une loi.

2. Le Québec est un État décentralisé qui garantit aux collectivités régionales et locales le droit d'organiser une gestion autonome dans leurs domaines de compétence et grâce à des sources de financement.

3. La décentralisation des pouvoirs de gestion et de taxation ne doit pas faire obstacle à la politique gouvernementale d'atténuation des disparités régionales et locales.

Article 27 – Responsabilités des collectivités

1. Les droits et libertés des collectivités s'exercent dans le respect de la Constitution, des lois et du territoire du Québec.

TITRE 4 – DES INSTITUTIONS DU QUÉBEC

Chapitre 1 – De l'Assemblée nationale du Québec

Article 28 – Fonction parlementaire

1. L'Assemblée nationale représente l'ensemble des Québécoises et Québécois. Elle vote la loi et contrôle l'action du Gouvernement.
2. Les débats de l'Assemblée nationale sont publics. Le huis clos ne peut être prononcé qu'à la majorité des deux tiers, sur demande d'un cinquième des membres de l'Assemblée.

Article 29 – Composition

1. L'Assemblée nationale se compose de députés. Le nombre de députés est de 125. Ce nombre peut être modifié pour tenir compte de l'évolution démographique du Québec.
2. Les députés sont élus selon le système de la représentation majoritaire à un tour, au suffrage universel direct, secret, égalitaire et périodique par les citoyens jouissant de leurs droits civiques. Les élections législatives ont lieu à date fixe, à tous les quatre ans, le premier dimanche de mai.
3. Tout citoyen jouissant de ses droits politiques est éligible à la fonction de député. Tout député qui est privé de ces qualités est, de plein droit, déchu de sa dignité parlementaire.
4. Un député ne peut siéger à l'Assemblée avant d'avoir prêté le serment suivant : « Je jure que je serai loyal envers le Québec et que j'exercerai mes fonctions de député avec honnêteté et justice dans le respect de la Constitution du Québec. »

Article 30 – Immunité des députés
et protection de l'Assemblée

1. Aucun député ne peut être poursuivi, recherché, arrêté, détenu ou jugé en raison des opinions ou votes émis par lui dans l'exercice de ses fonctions.

2. Chaque député a droit à une indemnité équitable assurant son indépendance.

3. L'Assemblée nationale est inviolable et peut exercer tous les pouvoirs nécessaires afin de se protéger contre toute atteinte à ses privilèges.

Article 31 – Incompatibilités avec le statut parlementaire

1. Est incompatible avec le statut de député tout mandat, fonction ou emploi auquel correspond une rémunération, ou un avantage tenant lieu de rémunération, du Gouvernement ou de l'un de ses ministères, d'un État étranger ou d'une institution internationale. Un député doit éviter de se placer dans une situation où son intérêt personnel peut influer sur l'exercice de ses fonctions.

2. Est incompatible avec le statut de député la charge de membre du conseil d'une collectivité régionale ou locale. Est incompatible avec le statut de président de l'Assemblée la fonction d'administrateur d'une corporation à caractère commercial, industriel ou financier.

3. Tout député qui, lors de son élection, se trouve dans une des situations d'incompatibilité doit, avant d'être assermenté ou de faire sa déclaration solennelle, se démettre de la fonction incompatible avec son statut de député. Si une fonction incompatible avec le statut parlementaire échoit à un député au cours de son mandat, celui-ci doit se démettre de l'une ou de l'autre dans un délai de trente jours, et ne peut entre-temps siéger à l'Assemblée.

UN PROJET DE CONSTITUTION

Article 32 – Organisation de l'Assemblée

1. Est éligible à la fonction de député tout citoyen jouissant de ses droits politiques et âgé de 25 ans révolus. Les députés sont élus pour au plus quatre ans consécutifs à compter du jour de la publication des noms des candidats proclamés élus. Les mandats ne cessent dans aucun cas avant que de nouvelles élections n'aient eu lieu. Personne ne peut se faire élire député plus de quatre fois.

2. L'Assemblée nationale élit dès le début de sa première séance et parmi ses membres un président et deux vice-présidents. Le président élu est chargé de veiller à la sûreté et d'exercer les pouvoirs de police dans les bâtiments de l'Assemblée nationale et aucune perquisition ou saisie ne peut être effectuée dans les locaux de l'Assemblée sans son autorisation expresse.

3. L'Assemblée nationale adopte son propre règlement intérieur et établit les règles de sa procédure à la majorité de ses membres et elle est seule compétente pour les faire respecter. L'Assemblée peut constituer des commissions et des sous-commissions composées de députés et chargées d'examiner toute question relevant de la compétence que l'Assemblée leur attribue et d'exécuter tout mandat qu'elle leur confie.

4. L'Assemblée nationale se réunit de plein droit en deux sessions ordinaires par an au cours desquelles le quorum est du dixième de ses membres. L'Assemblée nationale peut être convoquée en session extraordinaire, à l'initiative de son président, du président du Québec ou d'un tiers de ses membres.

Article 33 – Élaboration et adoption des lois

1. L'initiative des lois appartient aux membres de l'Assemblée nationale. Seul un ministre peut déposer un projet de loi qui a pour objet l'engagement de fonds publics, l'imposition d'une charge aux contribuables, la remise d'une dette envers l'État ou l'aliénation de biens appartenant à l'État.

2. L'Assemblée nationale ne peut adopter une loi qu'à la majorité absolue de ses membres présents ; cette majorité ne peut, en

aucun cas, être inférieure au quart du nombre légal des députés. Sur l'ensemble des lois, le vote intervient par appel nominal. L'Assemblée nationale ne peut adopter une loi visée au paragraphe 3 de l'article 5 qu'à la majorité des deux tiers de ses membres présents.

3. Une loi adoptée par l'Assemblée nationale ne peut être soumise à un référendum que si, lors de son dépôt, elle contient une disposition à cet effet ainsi que le texte de la question soumise au référendum. Cette loi ne peut être présentée pour sanction qu'après avoir été soumise aux électeurs par voie de référendum et aprouvée à la majorité des votes valablement exprimés.

4. Les lois sont sanctionnées et publiées par le président du Québec conformément aux dispositions du paragraphe premier de l'article 44 de la présente Constitution.

Article 34 – État d'exception

1. En cas de menace imminente contre la sécurité nationale, l'Assemblée nationale adopte sur demande du premier ministre une loi instituant l'état d'exception.

2. Si la situation exige impérieusement une action immédiate et si la réunion en temps utiles de l'Assemblée nationale se heurte à des obstacles insurmontables, la constatation d'une menace imminente contre la sécurité nationale et l'institution de l'état d'exception peut prendre la forme d'un décret du premier ministre autorisé par le président du Québec et le président de l'Assemblée nationale.

3. Les paragraphes précédents n'autorisent aucune suspension des paragraphes 1 et 2 de l'article 6, du paragraphe 1 de l'article 8, de l'article 13, du sous-paragraphe 1g) de l'article 16 et de l'article 21. Il n'autorise pas non plus la suspension des garanties juridiques indispensables à la protection des droits susvisés.

4. L'institution de l'état d'exception ne modifie pas le principe de la responsabilité ultérieure du Gouvernement et de ses agents.

UN PROJET DE CONSTITUTION

Chapitre 2 – Du Gouvernement du Québec

Article 35 – Fonction gouvernementale

1. Le Gouvernement est l'organe qui détermine et conduit la politique intérieure et extérieure. Il assure l'exécution des lois, dispose du pouvoir réglementaire et nomme aux emplois de l'État conformément à la Constitution et aux lois.
2. La fonction gouvernementale est exercée par un Conseil exécutif composé des ministres, ministres délégués et secrétaires d'État sous l'autorité du premier ministre.
3. Le Gouvernement doit conserver la confiance de l'Assemblée nationale et peut engager devant l'Assemblée nationale sa responsabilité sur un projet de loi ou l'ensemble de son programme. La responsabilité du Gouvernement peut également être mise en cause par le vote d'une motion de censure, déposée avec le soutien d'au moins un cinquième des députés, et adoptée si elle recueille les voix de la majorité absolue du nombre légal des députés.

Article 36 – Nomination

1. Le premier ministre est nommé par le président du Québec en fonction des résultats électoraux.
2. Les autres membres du Gouvernement sont nommés et révoqués par le président du Québec sur proposition du premier ministre.
3. Seul un député peut être ministre du Gouvernement. Toutefois, une personne peut être nommée et demeurer ministre du Gouvernement si elle est élue dans l'année suivant sa nomination. Un secrétaire d'État ne doit pas être député, mais un maximum de cinq secrétaires d'État peuvent faire partie du Gouvernement.

Article 37 – Fonctions ministérielles

1. Le premier ministre dirige l'action du Gouvernement dont il assure l'unité. Il est responsable de la politique générale et de la défense nationale de l'État.
2. Le premier ministre peut déléguer l'exercice de ses pouvoirs. Les actes du premier ministre sont contresignés, le cas échéant, par les membres du Gouvernement chargés de leur exécution.
3. Chaque ministre, ministre délégué et secrétaire d'État exerce les compétences fixées par la loi. Les ministres sans portefeuille exercent les compétences qui leur sont dévolues par décision du premier ministre.

Article 38 – Immunités

1. Aucun membre du Gouvernement ne peut être poursuivi, recherché, arrêté, détenu ou jugé à titre personnel pour un acte ou une omission commis dans l'exercice de ses fonctions.
2. Si un procès criminel est engagé contre un membre du Gouvernement, l'Assemblée nationale décide s'il doit ou non être suspendu de ses fonctions.

Article 39 – Rôle de l'Administration

1. L'Administration publique sert avec objectivité l'intérêt général et agit conformément aux principes d'efficacité, impartialité, coordination, hiérarchie, décentralisation et déconcentration et se soumet pleinement au droit.
2. Les organes de l'Administration publique sont créés, régis et coordonnés conformément à la loi.
3. Le pouvoir réglementaire et la légalité de l'action administrative sont contrôlés par le juge.

UN PROJET DE CONSTITUTION

CHAPITRE 3 – DU PRÉSIDENT DU QUÉBEC

Article 40 – Fonction présidentielle

1. Le président du Québec est le chef de l'État dont il garantit la continuité et l'indépendance.
2. Le président du Québec veille au respect de l'ordre constitutionnel, préside aux solennités et assume la plus haute représentation de l'État québécois dans les relations internationales.

Article 41 – Conditions du statut présidentiel

1. Est éligible à la présidence du Québec tout citoyen jouissant de ses droits politiques et âgé de quarante ans révolus. Un député ne peut être élu à la présidence du Québec. Personne ne peut se faire élire à la présidence plus de deux fois.
2. Les fonctions de président du Québec sont incompatibles avec toute autre activité rémunérée, charge ou dignité.
3. Le traitement et les indemnités du président du Québec sont fixés par la loi.

Article 42 – Élection

1. Le président du Québec est élu sans débat par les membres de l'Assemblée nationale.
2. Est élu le candidat qui obtient au scrutin secret les voix de la majorité des deux tiers du nombre légal des députés. Si aucun candidat n'obtient la majorité des deux tiers au cours des deux premiers tours de scrutin, est élu celui qui recueille lors d'un troisième tour le plus grand nombre de voix.
3. La durée des fonctions du président du Québec est de six ans et prend fin lors de l'investiture du nouveau président élu.

Article 43 – Pouvoirs présidentiels

1. Le président du Québec est tenu informé des négociations internationales et exprime le consentement de l'État à être lié par

les traités. Il accrédite les ambassadeurs et les envoyés extra-ordinaires auprès des puissances étrangères ; les ambassadeurs et les envoyés extraordinaires étrangers sont accrédités auprès de lui.
2. Le président du Québec dispose du droit de grâce, du droit de commuer ou de réduire les peines infligées à tout condamné.
3. Dans les cas indiqués par la loi, le président du Québec nomme et révoque les fonctionnaires, les juges, les officiers et les sous-officiers de l'État.
4. Le président du Québec peut adresser des messages à l'Assemblée nationale. Il peut dissoudre l'Assemblée nationale, à la demande du premier ministre.

Article 44 – Sanction et publication des lois

1. Les lois sont sanctionnées dans les dix jours suivant leur adoption par l'Assemblée nationale ou leur approbation par réfé-rendum, sous la forme d'un décret signé par le président du Québec.
2. À défaut de sanction par le président du Québec dans les dix jours prévus, il y sera pourvu par le président de l'Assemblée nationale.

Article 45 – Contreseing

1. Aucun acte du président du Québec n'est valable ni n'est exécuté sans le contreseing du premier ministre.
2. Par exception, les actes de dissolution de l'Assemblée nationale et de nomination du premier ministre et du personnel des services de la présidence du Québec sont dispensés du contreseing.

Article 46 – Mise en accusation

1. À la demande du tiers de ses membres, l'Assemblée nationale peut voter la mise en accusation du président du Québec devant la Cour suprême pour violation délibérée de l'ordre constitu-tionnel. La décision de mise en accusation doit être prise à la

majorité des deux tiers des membres de l'Assemblée nationale. 2. Si la Cour suprême constate la culpabilité, le président du Québec est déchu de ses fonctions. La décision de la Cour constatant ou non la culpabilité doit intervenir dans un délai d'un mois suivant la mise en accusation.

Article 47 – Intérim

1. En cas d'empêchement temporaire ou définitif du président du Québec, ses fonctions sont exercées provisoirement par le président de l'Assemblée nationale ou, en cas d'empêchement de celui-ci, par la personne le suppléant.
2. En cas d'empêchement définitif du président du Québec, l'Assemblée nationale procède à une nouvelle élection conformément aux règles de l'article 42 de la présente Constitution dans un délai d'un mois.
3. Pendant l'exercice des fonctions du président du Québec par intérim, le mandat de député du président de l'Assemblée nationale ou de la personne le suppléant est automatiquement suspendu.

Chapitre 4 – De la Cour suprême du Québec

Article 48 – Fonction judiciaire

1. La Cour suprême, dont la juridiction s'étend à tout le Québec, est l'organe judiciaire suprême.
2. Elle ne peut que prononcer la cassation des décisions judiciaires pour violation du droit. Les décisions de la Cour suprême sont définitives et ne sont susceptibles d'aucun recours.

Article 49 – Organisation de la Cour suprême

1. La Cour suprême est composée de neuf membres dont trois sont nommés par le président du Québec, trois par le premier ministre et trois par le président de l'Assemblée nationale. Le juge

en chef de la Cour suprême est nommé par le président du Québec et a voix prépondérante en cas de partage.
2. Les neuf membres sont nommés pour un mandat unique de neuf ans. Le renouvellement s'effectue par tiers tous les trois ans, par la nomination d'un nouveau membre par chacune des trois personnes habilitées par le premier paragraphe du présent article.
3. La Cour suprême connaît des recours contre toute décision de la Cour d'appel du Québec et d'autres cours en tant que la présente Constitution et la loi le prescrivent.

Article 50 – Chambre constitutionnelle de la Cour suprême

1. Une Chambre constitutionnelle de la Cour suprême est chargée de se prononcer sur la conformité des lois et traités à la Constitution. Elle doit statuer dans un délai d'un mois.
2. Pour garantir la constitutionnalité d'une loi, le président du Québec, le premier ministre, le président de l'Assemblée nationale ou trente-cinq députés peuvent soumettre la question à la Chambre constitutionnelle de la Cour suprême avant la sanction dont le délai est suspendu. Une loi déclarée inconstitutionnelle ne peut être sanctionnée.
3. Pour garantir la constitutionnalité d'un traité, le président du Québec, le premier ministre, le président de l'Assemblée nationale ou trente-cinq députés peuvent soumettre la question à la Chambre constitutionnelle de la Cour suprême avant l'approbation du traité ou l'expression du consentement à être lié. L'Assemblée nationale ne peut approuver un traité déclaré inconstitutionnel et le président du Québec ne peut exprimer le consentement du Québec à être lié par un traité déclaré inconstitutionnel.
4. Si, au cours d'un litige, il existe des doutes sur la constitutionnalité d'une loi ou d'un traité dont dépend sa décision, le juge doit suspendre la procédure et soumettre la question à la décision de la Chambre constitutionnelle de la Cour suprême. Si une loi est déclarée inconstitutionnelle, l'application en est suspendue jusqu'à la révision de la Constitution. Si un traité est

déclaré inconstitutionnel, l'application en est suspendue jusqu'à la révision de la Constitution.

Article 51 – Autres tribunaux du Québec

1. Les autres tribunaux du Québec, en matières civiles, criminelles ou mixtes, sont la Cour d'appel du Québec et la Cour du Québec.
2. Les juges des tribunaux du Québec sont indépendants et ne sont soumis qu'à la loi. Ils sont inamovibles et ne peuvent contre leur gré être mutés, suspendus, mis à la retraite avant d'avoir atteint l'âge de soixante-quinze ans ou démis de leurs fonctions qu'en vertu d'une décision judiciaire et pour les seuls motifs et dans la seule forme prescrits par la loi.
3. Les juges sont choisis parmi les membres du Barreau du Québec. Ils forment cependant un corps unique et sont soumis à un seul statut.
4. Nul tribunal, nulle juridiction contentieuse ne peut être établi qu'en vertu d'une loi. Il ne peut être créé de commissions ni de juges extraordinaires ou spéciaux, sous quelque dénomination que ce soit.

TITRE 5 – DE LA COMMUNAUTÉ INTERNATIONALE ET DE L'UNION CANADIENNE

Article 52 – Participation à la communauté internationale

1. Le Québec participe à la communauté internationale et conduit ses relations internationales selon les principes de la souveraineté nationale, du respect des règles de droit international, de l'égalité souveraine des États, de la coopération avec les institutions internationales et du règlement pacifique des différends internationaux.
2. Avec l'assentiment de l'Assemblée nationale et des citoyens par référendum, le Québec peut transférer par traité l'exercice de compétences à des institutions internationales à vocation universelle ou régionale.

3. Dès leur publication officielle, les décisions des institutions internationales auxquelles le Québec doit se conformer priment sur les lois et font naître directement des droits et des obligations pour les habitants du territoire québécois.

Article 53 – Participation à l'Union canadienne

1. Le Québec participe à l'Union canadienne, constituée d'États qui ont librement choisi, en vertu du Traité instituant l'Union canadienne, d'exercer en commun certaines de leurs compétences.
2. Sous réserve de réciprocité et selon les modalités prévues au Traité instituant l'Union canadienne, le Québec consent aux transferts de compétences nécessaires à l'établissement de l'Union. Avec l'assentiment de l'Assemblée nationale et des citoyens par référendum, le Québec peut transférer par traité l'exercice de compétences additionnelles à l'Union.
3. Dès leur publication officielle, les décisions des institutions de l'Union auxquelles le Québec doit se conformer priment sur les lois et font naître directement des droits et des obligations pour les habitants du territoire québécois.

Article 54 – Traités, règles coutumières et principes généraux

1. Le président du Québec ne peut exprimer le consentement du Québec à être lié par un traité de paix, un traité de commerce, un traité constitutif d'une organisation internationale, un traité qui engage les finances de l'État, un traité qui modifie des dispositions de nature législative, un traité relatif à l'état des personnes ainsi qu'un traité comportant cession, échange ou adjonction de territoire, que si un tel traité a été approuvé par une loi de l'Assemblée nationale. Le président du Québec ne peut exprimer le consentement du Québec à être lié par un traité transférant des compétences à des institutions internationales ou à l'Union canadienne que s'il a été approuvé par les citoyens par référendum à la majorité des votes valablement exprimés. Les mesures sont

prises pour que les électeurs reçoivent copie du traité avant la date du référendum.

2. Dès leur publication officielle, les règles comprises dans un traité à l'égard duquel l'État québécois a exprimé son consentement à être lié et qui est en vigueur, font partie intégrante du droit interne, priment les lois et font naître directement des droits et des obligations pour les habitants du territoire québécois.

3. Si la Chambre constitutionnelle de la Cour suprême, saisie par le président du Québec, par le premier ministre ou par le président de l'Assemblée nationale, a déclaré que les règles comprises dans un traité sont contraires à la Constitution, l'expression du consentement à être lié à l'égard d'un tel traité ne peut intervenir qu'après la révision de la Constitution.

4. Les règles coutumières et les principes généraux de droit font également partie intégrante du droit interne, priment sur les lois et font naître directement des droits et des obligations pour les habitants du territoire québécois.

TITRE 6 – DE LA RÉVISION DE LA CONSTITUTION

Article 55 – Limites matérielles et circonstancielles

1. Les dispositions de la Constitution, à l'exception de l'article premier et du premier paragraphe de l'article 2, peuvent être soumises à révision.

2. Aucun acte de révision constitutionnelle ne peut être entrepris ni accompli pendant l'état d'exception.

3. Lorsqu'une révision des articles 23 à 27 de la présente Constitution est en préparation, les représentants des collectivités concernées doivent être invités aux travaux relatifs à la proposition de révision.

Article 56 – Initiative parlementaire

1. L'initiative de la révision de la Constitution appartient aux membres de l'Assemblée nationale. Toute proposition de révision

doit être déposée à l'Assemblée nationale avec le soutien d'au moins un quart des députés.

2. La proposition de révision incluant le texte complet des articles modifiés doit au moins recueillir les voix du tiers du nombre légal des députés. Une proposition de révision des articles 5 à 27 doit au moins recueillir les voix de la moitié du nombre légal des députés.

Article 57 – Approbation par référendum

1. La proposition de révision telle que votée par l'Assemblée nationale est soumise à un référendum dans les deux mois suivant le suffrage des députés. Les mesures nécessaires sont prises pour que les électeurs reçoivent copie de la proposition de révision avant la date du référendum.

2. Le président du Québec doit promulguer dans les dix jours suivant la date du référendum la révision constitutionnelle telle qu'adoptée, à la majorité des votes valablement exprimés, par les citoyens et proposée par l'Assemblée nationale.

TITRE 7 – DE L'ENTRÉE EN VIGUEUR DE LA CONSTITUTION

Article 58 – Modalités d'acceptation

1. Il appartient aux Québécoises et aux Québécois de se prononcer par la voie d'un référendum sur l'opportunité et la légitimité de se soumettre à un ordre constitutionnel tel que défini dans la présente Constitution.

2. La présente Constitution ne peut entrer en vigueur qu'après avoir été adoptée par l'Assemblée nationale et approuvée par les citoyens jouissant de leurs droits civils et politiques.

3. La présente Constitution doit recueillir les voix de la majorité du nombre légal des députés et, dans un délai de deux mois suivant le vote de l'Assemblée nationale, être approuvée par référendum à la majorité des votes valablement exprimés.

UN PROJET DE CONSTITUTION

Article 59 – Promulgation

1. La présente Constitution du Québec est promulguée dans les dix jours suivant la date du référendum, sous la forme d'un décret signé par le président de l'Assemblée nationale. Toutes les modifications ultérieures doivent faire l'objet d'une nouveau décret de promulgation, incluant l'ensemble du texte révisé, signé par le président du Québec.
2. La Constitution et toute modification ultérieure entrent en vigueur le jour suivant celui de la promulgation mentionnée dans le premier paragraphe du présent article.
3. Le droit en vigueur avant la publication de la présente Constitution continue d'être en vigueur dans la mesure où il n'est pas contraire à l'ordre constitutionnel.

Article 60 – Publication, diffusion et éducation

1. La présente Constitution et, le cas échéant, toutes les révisions ultérieures, seront publiées le jour suivant la promulgation.
2. Le texte français de la présente Constitution est officiel. La présente Constitution sera également publiée dans les langues anglaise et autochtones.
3. Tout citoyen peut se procurer la Constitution du Québec en adressant une demande écrite au président de l'Assemblée nationale.
4. Les établissements d'enseignement incluront dans leur programme d'éducation des cours destinés à faire connaître le contenu de la présente Constitution.

TABLE DES MATIÈRES

MANIFESTE DES INTELLECTUELS

Achevé d'imprimer
en octobre 1995
sur les presses de l'Imprimerie HLN
à Sherbrooke, Québec